Chère lectrice,

Comme moi, vous avez cer̶̶̶̶... décor compte, dans un roman d'amour. Le château, le manoir, la demeure du maître sont la scène idéale d'une rencontre qui vous étreint le cœur. Pas un coup de foudre fulgurant comme sur une plage de Jamaïque, non, plutôt la montée en puissance d'une passion qui partage l'héroïne. En elle, deux femmes s'affrontent : la femme raisonnable, qui devrait fuir la demeure et son ombrageux propriétaire, et la femme passionnée, tout de suite fascinée malgré elle, et qui accepte, le cœur battant, de s'enfermer avec l'homme qui l'attire irrésistiblement.

Pourquoi la fascine-t-il autant, d'ailleurs — cet homme qui semble l'ignorer, la tient à distance et décide de tout ? Peut-être justement parce qu'il attise sans cesse sa passion en la fuyant. Elle vit avec lui dans une constante proximité et pourtant ne le croise qu'aux heures rituelles qu'il impose : au dîner, ou bien encore quand le travail le nécessite, comme entre Jane Eyre et Rochester, dans le célèbre roman des sœurs Brontë.

Alors, que fait-il, quand il n'est pas avec elle ? Quels secrets cache-t-il ? Voilà ce qui la retient auprès de cet homme : son côté sombre, intime, qui lui échappe. Elle veut savoir. Pas par curiosité, mais pour le conquérir tout entier et vivre enfin avec lui une passion sans partage, qu'aucune ombre ne viendra ternir. Qu'est-ce qui empêche Rochester de s'unir à Jane Eyre, alors qu'ils s'aiment ? Le secret que dissimule la porte fermée à clé, interdite à tous, en haut d'une volée d'escalier que Rochester monte toujours seul…

Quand Charlotte arrive dans La maison sur l'île, elle n'a pas du tout l'âme d'une Jane Eyre — c'est une jeune femme moderne, amusée par l'idée de retrouver son premier amour, Liam. Elle pourrait être vous, ou moi. Mais comme Jane Eyre, elle va se laisser gagner par l'atmosphère du manoir, la séduction ténébreuse du maître de maison. Comme elle, elle va devenir une de ces héroïnes de roman telles que nous les aimons : passionnée, généreuse, attachante. Pour votre plaisir, j'espère…

La responsable de collection

Dans le secret du cœur

BRENDA MOTT

Dans le secret du cœur

éMOTIONS

éditions **Harlequin**

Cet ouvrage a été publié en langue anglaise sous le titre :
THE NEW BABY

Traduction française de
FLORENCE GUILLEMAT-SZARVAS

HARLEQUIN®

est une marque déposée du Groupe Harlequin
et Émotions® est une marque déposée d'Harlequin S.A.

Photos de couverture
Couple : © ROYALTY FREE / CORBIS
Fleur : © GARRY BLACK / MASTERFILE

© 2004, Brenda Mott. © 2005, Traduction française : Harlequin S.A.
83-85, boulevard Vincent-Auriol, 75013 PARIS — Tél. : 01 42 16 63 63
Service Lectrices — Tél. : 01 45 82 47 47
ISBN 2-280-07934-8 — ISSN 1768-773X

Prologue

Alors qu'elle reprenait conscience, la douleur resurgit. Au-dessus de sa tête, une lumière éblouissante l'aveugla avant même qu'elle n'ait ouvert complètement les paupières. Des points lumineux dansaient devant ses yeux, lui donnant le vertige. A force de concentration, elle reconnut les bruits d'une salle des urgences.

— Tension artérielle ?

— 9/5. Pouls : 140...

Ces mots débités à toute allure s'immiscèrent dans son cerveau à la vitesse de l'éclair. Elle voulut bouger, mais ses bras, anormalement lourds, la clouaient sur place. Son cou et sa tête étaient également maintenus. Paniquée, elle se mit à se débattre pour se débarrasser du masque à oxygène appliqué sur son visage.

De nouveau, des voix parvinrent à ses oreilles, plus claires que la première fois.

— Faites-lui une transfusion ! Il faut lui donner du sang le plus vite possible !

— Tout est en place, nous attendons une poche de sang compatible.

— Pas le temps d'attendre ! Donnez-lui du O !

En sentant le brancard bouger sous son corps, Amanda eut un haut-le-cœur, et la sensation de vertige augmenta. Au-dessus d'elle, des visages inconnus l'observaient.

— Enceinte ? M… ! Allez me chercher un obstétricien tout de suite !

— Ne bougez pas, Amanda, on va s'occuper de vous.

— Quelqu'un a contacté la famille ?

Elle voulut parler, mais en vain. Son cerveau semblait noyé dans du coton.

Et ses paupières… Elles étaient si lourdes qu'elle referma les yeux.

Lorsqu'elle se réveilla, elle n'avait aucune idée du temps qui s'était écoulé. Sa chambre d'hôpital lui sembla froide, stérile et trop blanche, comme ces lumières qui l'avaient aveuglée précédemment. Un moniteur émettait des bips près de son lit. Des tuyaux de plastique transparent la reliaient à un goutte-à-goutte.

Aussitôt, elle distingua le visage de sa sœur. Un visage baigné de larmes, crispé par le chagrin, aux lèvres tremblantes.

— Amanda ? murmura celle-ci en lui prenant la main.

— Nikki ?

Aussitôt les souvenirs l'assaillirent.

Une route de montagne.

La jeune fille sur le bas-côté, avec un pneu crevé.

Amanda se revit se garant pour lui venir en aide, lui proposer d'utiliser son mobile pour appeler des secours. Elle se rappelait avoir détaché la boucle de sa ceinture, qui moulait son ventre rond. Puis un crissement de pneus, la lueur aveuglante des phares, et ce bruit assourdissant de tôle broyée.

Affolée, Amanda porta instinctivement la main à son ventre. Sa gorge se serra et des larmes brûlantes lui montèrent aux yeux. Son ventre, autrefois rond, abritant la vie, s'était dégonflé comme un vulgaire ballon.

— Non ! hurla-t-elle.

Mais le visage ravagé de sa sœur ne lui confirma que trop bien ce qu'elle avait déjà compris. Luttant contre l'horrible vérité, elle ferma les yeux de toutes ses forces tandis que Nikki lui serrait la main.

Elle avait perdu le bébé.

Ce bébé qu'elle avait accepté de porter pour sa sœur.

1.

Les montagnes du Tennessee étaient bien moins élevées et accidentées que les Rocheuses dans le Colorado. Cependant, elles n'en étaient pas moins belles aux yeux d'Amanda. Leur beauté tenait à tout ce qu'elle était venue y chercher : le changement, un nouveau départ, un environnement radicalement différent. L'oubli.

Depuis son accident, survenu trois mois auparavant, elle était devenue une étrangère à ses propres yeux, et éprouvait maintenant le besoin de se retrouver et de se reconstruire. La petite ville de Boone's Crossing, au cœur du Tennessee, était l'endroit idéal.

Le chalet de sa grand-mère Satterfield appartenait à la famille depuis trois générations. Il était situé au fond d'une petite vallée à environ dix kilomètres de la ville, au milieu des cornouillers, des noyers blancs et des chênes. La prairie et les iris aux nuances de lavande et de violet intense avaient envahi le jardin. Des plantes grimpantes recouvraient les sujets que Granny avait autrefois disposés avec amour sur la pelouse. Le bruit apaisant du ruisseau qui coulait près de la maison berçait les nuits d'Amanda. Malgré tout, des rêves atroces l'assaillaient encore, si réalistes qu'elle se réveillait en sueur, tenaillée par une peur qui faisait s'emballer son cœur et ne tardait pas à déclencher une crise de panique.

Parfois, elle rêvait du bébé. D'autres fois, elle voyait sa sœur Nikki et son mari Cody errer sans but dans un couloir interminable et sombre, cherchant la même chose sans jamais la trouver. Une fois même, elle rêva de Caitlin Kramer, la jeune fille au pneu crevé. D'après ce qu'elle avait lu dans le journal local, Caitlin était une championne d'équitation en passe de rejoindre l'équipe olympique américaine. Hélas, les blessures causées par l'accident avaient anéanti tous ses espoirs.

Nikki... Cody... Caitlin... Qui encore ? Combien de personnes, y compris elle-même, avaient été victimes de la réaction en chaîne déclenchée par un conducteur inconscient, qui avait pris le volant malgré l'alcool qu'il avait ingurgité ? Ajoutant à sa détresse, cette pensée la rendait folle de rage.

La sonnerie du téléphone la tira de son demi-sommeil. Elle se précipita dans la cuisine pour s'emparer du téléphone sans fil.

— Allô ?

— Salut !

— Nikki, que fais-tu debout de si bonne heure ?

Il devait être 4 heures du matin à Deer Creek.

— Je voulais te parler avant que tu ne partes travailler.

— Si tu m'appelles pour me dire quelle sœur indigne je suis, je le sais déjà. Désolée de ne pas t'avoir appelée plus tôt.

— Désolée, tu peux l'être : je commençais à m'inquiéter sérieusement.

Nikki semblait prête à lui faire la morale, en bonne grande sœur qu'elle était, ce qui donna à Amanda envie de rire et de pleurer.

En arrivant à Boone's Crossing, elle n'avait appelé sa grande sœur que pour lui dire qu'elle avait fait bon voyage et trouvé une place d'infirmière en chef adjointe dans une maison de repos.

A présent, elle avait honte de ne pas avoir donné de ses nouvelles. Nikki lui manquait bien plus qu'elle ne l'aurait cru. Et malgré les paroles dures qu'elles avaient échangées au moment du départ, elle savait que sa sœur se faisait du souci pour elle.

— Je suis désolée, répéta-t-elle.

Puis le silence s'installa.

Amanda cherchait les mots justes. Lui demander comment elle allait semblait maladroit, étant donné que Nikki allait mal depuis un bon bout de temps. Lui demander ce qu'elle devenait semblait tout aussi inapproprié.

— Tu vas bien ? la devança Nikki.

— C'est moi qui devrais te poser la question… Je vais bien, si tu veux parler de ma santé physique. Mais le mental… non. Je n'arrête pas de penser à Cody et à toi… et à la petite Anna, répondit Amanda en réprimant les tremblements de sa voix.

En outre, elle avait peur chaque fois qu'elle prenait sa voiture.

— Ici on fait aller, affirma Nikki.

Mais le ton de sa voix trahissait le contraire. Après la perte de leur bébé, Cody avait réagi à la douleur par la colère. Il s'en était pris à tout son entourage : Amanda, Nikki, et même Mark, son meilleur ami, dont l'ironie du sort avait voulu qu'il soit un temps le fiancé d'Amanda.

Nikki et elle s'étaient retrouvées côte à côte, gênées, bouleversées, souffrant chacune à sa manière. Qui était la vraie victime dans cette affaire ? Et comment allaient-elles reprendre une vie normale ?

Les séances de psychothérapie ne leur avaient pas été d'un grand secours. Les tentatives d'Amanda pour arranger les choses non plus. Elle avait voulu rembourser à Nikki et Cody les dépenses engagées pendant cette grossesse. Ils y avaient en effet laissé toutes leurs économies, et Amanda avait l'impression de les avoir privés de leur dernière chance d'avoir un enfant. Nikki avait repoussé sa proposition d'un air triste et offensé : « Comment peux-tu croire que cet argent ait une quelconque importance à présent ? » Cody, lui, avait réagi encore plus violemment : « Ne t'imagine pas que tu peux nous rembourser notre enfant, Amanda ! »

Alors Amanda était partie, dans l'espoir que le temps et l'éloignement rétabliraient la situation entre Nikki et elle.

— Allons, reprit Amanda d'un ton ferme, chassant les souvenirs qui l'assaillaient de nouveau en entendant sa sœur, je te connais. Rappelle-toi que tu parles à celle qui retrouvait toujours ton journal intime autrefois, malgré les nouvelles cachettes où tu t'ingéniais à le ranger.

Nikki lui répondit par des sanglots qui lui fendirent le cœur.

— C'est vrai, nous n'arrivons pas à nous en sortir, avoua-t-elle. Pendant un moment, j'ai cru que la psycho-thérapie marchait, mais maintenant j'ai l'impression d'en être toujours au même point qu'au début.

Amanda s'assit sur le lino frais, contre l'étagère où Granny rangeait toujours un pot de jus de citron. Selon cette dernière, c'était un véritable remède miracle contre tous les maux. Comme tout était simple, autrefois ! Comme

13

ils étaient loin, ses cinq ans. A l'époque, Nikki en avait huit. Elles passaient leurs journées à grimper aux arbres ou à monter leur poney en se racontant ce qu'elles feraient quand elles seraient grandes.

— Viens me rejoindre, proposa Amanda.

Ces mots s'étaient échappés de ses lèvres avant qu'elle n'ait eu le temps de réfléchir.

— Quoi ? C'est toi, Amanda, qui ferais bien de revenir à la maison. Je te rappelle que nous avons quitté le Tennessee depuis l'école élémentaire.

— Je sais, murmura Amanda en fermant les yeux. Mais tout est si paisible ici. Les gens sont vraiment amicaux. Evidemment, je te mentirais en te disant que le fait de venir ici a résolu tous mes problèmes…

Une fois de plus, la colère et la frustration la submergèrent. Sa vie, avant l'accident, lui allait parfaitement : elle était en passe de réaliser tout ce dont elle avait toujours rêvé. Mark, qui ne voulait pas d'enfant, aurait certainement changé d'avis en voyant le bébé. Ils se seraient mariés, comme prévu, et auraient eu des enfants.

— … mais je pense sincèrement que cela va m'aider à me remettre.

Du moins elle l'espérait de toutes ses forces.

— La vie n'est plus la même ici, sans toi, lui confia Nikki. Je n'ai plus personne avec qui aller déjeuner ou faire du shopping… Personne à qui parler…

Nikki renifla et sa voix se brisa.

Amanda fit un effort pour lui répondre malgré sa gorge nouée.

— Mais tu as des amis qui t'adorent.

— Oui, mais ce n'est pas comme toi. Personne n'a jamais su m'aimer telle que je suis, comme toi.

14

Le cœur serré, Amanda lutta contre les larmes ; sa sœur était vraiment la personne la plus importante de sa vie. Souffrant de la voir enchaîner les fausses couches à cause d'une malformation du col de l'utérus, elle avait fini par s'offrir pour être la mère porteuse de son enfant. Elle se rappelait encore comment Nikki avait accueilli sa proposition : « Ça, c'est ce que j'appelle une sœur aimante. Tu es la personne la plus attentionnée et la plus généreuse que je connaisse, Amanda. » Elles s'étaient jetées dans les bras l'une de l'autre en pleurant. Mais c'étaient des larmes de joie, à l'époque.

A présent, les larmes qu'elle devinait dans la voix de sa sœur étaient d'une nature toute différente. Aujourd'hui Amanda s'en voulait amèrement d'avoir abandonné sa sœur et d'être partie aussi loin. Comment lui expliquer qu'elle n'avait pas eu le choix ? Qu'elle avait eu l'impression de devenir folle ?

— Je ne peux pas revenir pour l'instant, dit-elle.

Et peut-être ne le pourrait-elle jamais.

— Mais tu adorais ton boulot. Je sais que cela aurait été difficile de reprendre après, mais...

— J'ai un travail qui me plaît énormément ici, l'interrompit Amanda.

Nikki ne pensait sans doute pas à mal, mais l'accident avait créé un mélange de chagrin, de colère, de peur et de regrets d'où Amanda n'arrivait pas à se dépêtrer malgré tous ses efforts. En outre, elle ne se voyait absolument pas reprendre son travail d'infirmière à l'hôpital de Deer Creek. Passer ses journées au milieu des bébés et des femmes enceintes était désormais au-dessus de ses forces.

— Oui, mais pas autant que ton travail d'avant. Est-ce vraiment si gratifiant de s'occuper des personnes âgées ? De voir mourir des patients ?

Amanda dut lutter contre son agacement.

— Oui, très gratifiant, même si c'est très différent.

— Enfin, bon, peut-être. Mais la façon dont tu t'es enfuie me rappelle par trop maman.

Contrairement à elle, je ne cours pas après l'insaisissable, Nikki.

— Je ne veux pas que tu deviennes une nomade comme elle !

D'aussi loin que remontaient ses souvenirs, Amanda avait toujours vu leur mère passer d'une ville à l'autre, d'un État à l'autre, d'une profession à l'autre. Toujours, elle pensait que la prochaine fois serait la bonne.

— Ce n'est pas dans mes intentions. Boone's Crossing est le seul endroit où nous ayons des racines, grâce à Granny. Pourquoi ne viendrais-tu pas y passer une semaine de vacances ou deux ? Les vacances scolaires débutent dans quelques jours.

Comment Nikki pouvait-elle se rendre chaque jour à l'école maternelle où elle enseignait, après l'épreuve qu'elle venait de subir ? Amanda l'ignorait, mais personnellement, elle en aurait été incapable.

— Je ne sais pas, soupira Nikki.

Amanda la voyait, comme si elle y était, en train d'enrouler autour de ses doigts ses boucles châtains, une manie dont Granny n'avait jamais réussi à la débarrasser.

— Peut-être le fait de t'éloigner un peu de Cody toi aussi t'aiderait-il. Tu sais il ne pensait pas réellement ce qu'il m'a dit. C'était juste son côté flic.

Mais qu'il les ait pensés ou non, les mots qu'avait jetés Cody au visage d'Amanda avaient cruellement blessé Nikki aussi. « Amanda, comment as-tu pu être aussi stupide, aussi irresponsable ? T'arrêter sur le bord de la route en pleine nuit, comme ça, pour Dieu sait quelle raison ! »

16

Nikki, déchirée entre son mari et sa sœur, avait répliqué : « Tu es injuste, Cody. Quant à toi, Amanda, il vaudrait peut-être mieux que tu t'éloignes un moment. »

Amanda s'était donc éloignée, blessée par l'attitude de sa sœur. Sans hésiter une seconde, elle était partie pour Boone's Crossing.

— Je n'en suis pas si sûre, dit Nikki à mi-voix.

Voulait-elle dire que l'éloignement pourrait ne pas servir à arranger les choses ou que Cody pensait vraiment ce qu'il avait dit ?

— M'éloigner un peu en venant te rejoindre, dis-tu ? reprit Nikki. Tu ne crois pas que c'est un peu beaucoup, deux mille cinq cents kilomètres ?

— Toi seule peux en juger, ma grande. Mais tu seras toujours la bienvenue. Tu te rappelles où Granny cachait la clef ?

— De toute façon, elle ne fermait jamais à clef ! dit Nikki avec un rire étranglé qui ressemblait plutôt à un sanglot.

— Tu me tiens au courant ? Promis ?

— Je vais y réfléchir. Et n'attends plus tout ce temps pour me donner des nouvelles, d'accord ? Sache que je serais encore capable de venir te botter les fesses.

— Tu peux toujours essayer ! Je t'embrasse.

— Moi aussi.

Après avoir raccroché, Amanda resta assise par terre un moment, songeuse. Finalement, regarder la cuisine de Granny à hauteur d'enfant était plutôt réconfortant. Bien qu'elle ait séjourné ici bébé, ses plus anciens souvenirs de cet endroit dataient environ de ses quatre ans. La dernière fois qu'elle était venue voir Granny, elle devait être au collège. Ensuite, lycéenne, elle avait trouvé plus intéressant à faire que d'aller passer l'été dans le Tennessee. Puis il y avait eu l'université, l'école d'infirmières…

Elle avait honte de n'être venue voir Granny qu'une seule fois depuis l'âge adulte. Et encore, était-ce à l'hôpital. Il est vrai qu'entre-temps, Granny était venue leur rendre visite plusieurs fois dans le Colorado, pour y rester « une poignée de jours », comme elle disait. Mais ce n'était pas comme séjourner au chalet. A Boone's Crossing, il y avait le gospel, les manières d'antan, toutes ces choses qui faisaient partie intégrante de la vie quotidienne et donnaient à Amanda l'impression de l'envelopper comme une vieille et douillette couverture tricotée main.

Dommage que Granny ne soit plus là, à présent, pour lui faire entendre la voix de la sagesse. Amanda se rappelait pourtant une chose que la vieille dame disait souvent : « Quels que soient les aléas de la vie, celle-ci est trop courte pour que l'on gaspille une seule de ses précieuses minutes. »

Pour ne pas rester désœuvrée, Amanda s'était donc occupée à remettre de l'ordre dans le chalet. Quant à son travail à Shade Tree Manor, il remplissait le plus clair de ses journées, auxquelles il donnait un but.

Pourtant, malgré tout ce qu'elle avait dit à Nikki, elle ne se sentait pas encore elle-même. Au contraire, elle suivait une sorte de routine, allant travailler le matin, rentrant dans une maison vide le soir, et recommençant le lendemain. Et cette routine la rassurait quelque peu. Cela dit, elle n'avait pas menti en disant que son travail auprès des personnes âgées avait des côtés gratifiants. Ses patients étaient son rayon de soleil, et c'est en pensant à eux qu'elle retrouva la force de se lever et de gagner la salle de bains.

Une fois douchée et habillée, elle se rendit à la maison de repos, située à quelques minutes à peine. Sa deuxième semaine de travail commençait. Elle se sentait à l'aise au sein de l'équipe comme en compagnie des résidents. Ses collègues la saluèrent et, comme elle approchait de la salle des infirmières, l'une des infirmières auxiliaires, envers laquelle elle avait tout de suite éprouvé de la sympathie, leva les yeux au ciel en l'apercevant.

— Si tu savais comme je suis contente de te voir !

Epaisse comme un courant d'air, la grande et brune Roberta Bake cachait un cœur tendre sous des dehors bourrus. Elle travaillait de nuit et s'occupait des résidents avec un dévouement comme Amanda aimait en voir chez les infirmières de son équipe.

— Je parie que tu es prête à rentrer chez toi.

— Attends, ma grande, il faut que je te raconte. Albert nous a refait sa crise : il s'est à nouveau pris pour Daniel Boone. Je l'ai surpris dans le couloir, et par deux fois encore, seulement vêtu de ses sous-vêtements et de sa toque en opossum. Pour l'instant, il a l'air de s'être enfin endormi, mais laisse-moi te dire une chose : je vous conseille de l'avoir à l'œil !

Amanda se retint de rire. Elle adorait le parler chantant et l'accent sudiste de Roberta, originaire du Kentucky, état limitrophe tout proche de Boone's Crossing. Même si la démence qui affligeait Albert l'attristait, elle s'amusait toujours de la description cocasse qu'en faisait sa collègue. Apparemment, le vieux monsieur de soixante-quatorze ans avait un numéro bien à lui dont Amanda n'avait pas encore été témoin.

— Nous l'aurons à l'œil, promit-elle tandis que Roberta rassemblait ses affaires avant de partir.

Un moment plus tard, après s'être assurée qu'une infirmière auxiliaire surveillait Albert de près, Amanda, en quête d'un café, fit un détour par le salon où les résidents passaient la journée. La salle était presque vide. Seuls deux pensionnaires regardaient le journal télévisé du matin, tandis qu'un troisième était installé devant un puzzle.

Un quatrième, dans un fauteuil roulant, à l'autre bout de la pièce devant une table, lui fit un petit signe de la main. Âgé de quatre-vingt-sept ans, Zebadiah Bonner avait l'esprit plus vif que nombreux de ses cadets de vingt ans. C'était un ancien ami de Granny, bien qu'Amanda n'ait aucun souvenir de lui. Il était arrivé à la maison de repos quelques jours avant elle, après trois semaines d'hospitalisation pour fracture de la hanche. A présent convalescent, il suivait une rééducation avec un kinésithérapeute. Zeb était généralement d'humeur enjouée, et sa blessure n'avait en rien entamé sa joie de vivre.

Il disputait une partie d'échecs contre lui-même. La première fois qu'elle l'avait vu, Amanda avait été fasciné par les pièces originales de son jeu : des personnages du Far West peints à la main, des cow-boys à cheval, des danseuses de saloon, des chariots bâchés. Zeb adorait et était fier de ce cadeau de son petit-fils. Pourtant, il refusait de jouer avec quiconque et disputait donc des parties qui allaient fatalement dans son sens.

— Bonjour, Zeb. Comment vous sentez-vous aujourd'hui ?

Le vieil homme pencha la tête de côté et se fendit d'un sourire édenté — car la plupart du temps, il refusait de porter son dentier.

— Vous, je ne sais pas, mais moi je me sens fringant comme un jeune homme depuis qu'une jolie blonde est entrée dans cette pièce.

Après un clin d'œil, il retourna à son jeu.

— Vous jouez toujours seul à ce que je vois, dit Amanda en lui serrant amicalement l'épaule.

20

— Un peu ! Et je ne suis pas prêt de jouer avec un autre ! Et surtout pas avec Charlie ! Il triche, vous savez.

Ses yeux bleus pétillaient sous la visière de son éternelle casquette de base-ball.

— Je sais, vous me l'avez déjà dit. Bon, je vais me chercher un café. A plus tard.

— Dites, mon petit, vous n'auriez pas une bouteille de cordial planquée dans votre salle de repos, par hasard ?

C'était un petit jeu entre eux : il faisait semblant d'être en manque d'alcool alors qu'il ne buvait plus depuis longtemps.

— Hélas non ! répliqua Amanda, l'air faussement désolé. Mais vous avez intérêt à bien vous tenir, sinon je dis à Charlie que vous l'avez invité à disputer une partie contre vous.

— Non, par pitié ! Je promets d'être sage.

Amanda sortit de la pièce en riant. Quand elle repassa par là après avoir bu un café, Zeb avait de la compagnie.

Elle eut un petit coup au cœur en voyant l'homme qui se tenait près de lui. Agé d'une trentaine d'années, il avait allongé sous la table de jeu ses longues jambes moulées dans un jean. Tout comme Zeb, il portait une casquette aux couleurs d'un fabricant de machines agricoles. Sa chemise en denim semblait usée juste ce qu'il faut, et ses cheveux dépassaient suffisamment de sa casquette pour que la jeune femme puisse constater qu'ils étaient d'une chaude nuance de brun. Mais c'est à cause de ses yeux que le cœur d'Amanda fit un saut dans sa poitrine. D'une profonde couleur chocolat, ourlés de cils noirs interminables, ils l'observaient comme s'ils cherchaient à lire dans ses pensées.

Comment pouvait-on avoir l'air aussi sexy en chemise de travail et casquette John Deere ?

— Alors, Zeb, vous vous êtes finalement trouvé un adversaire ? lança-t-elle en se forçant à détourner le regard du nouveau venu.

Mais ses yeux retournèrent malgré elle vers lui.

L'adversaire en question éclata d'un rire franc qui dessina des fossettes sur ses joues.

— Très peu pour moi ! Pépé est bien trop fort !

Son accent du Sud avait l'onctuosité du beurre fondu. Il accompagna sa réponse d'un clin d'œil qui ne cherchait pas à flirter, mais évoquait plutôt une complicité entre le vieil homme et lui.

— Celui-là, c'est Ian, mon petit-fils. C'est lui qui m'a offert ça, dit Zeb en désignant le jeu d'échecs. Ian, je te présente miss Kelly, mon infirmière préférée. C'est la petite-fille d'Olivia Satterfield. Tu devais être trop vieux pour jouer avec elle, à l'époque, sinon tu te souviendrais d'elle.

Ian se leva pour serrer brièvement la main d'Amanda dans la sienne, rugueuse et chaude.

— Ian Bonner. Ravi de faire votre connaissance, miss Kelly. Et désolé de n'avoir aucun souvenir de vous.

— Je m'appelle Amanda...

Amanda avait beau faire de son mieux pour ne pas le fixer, il avait des yeux...

— ... Amanda Kelly. Egalement ravie de faire votre connaissance, Ian.

— Il a fait passer de la marchandise en douce, lui glissa Zeb en aparté en désignant une boîte de beignets.

— C'est ce que je vois.

Amanda fit semblant de prendre un air sévère et éprouva de la gêne en sentant le regard de Ian se poser sur elle.

— Mais puisque vous n'êtes pas astreint à un régime particulier, nous ne dirons rien pour cette fois.

— Si tu veux les goûter, il va falloir mettre tes dents, pépé. Vous en voulez un ? proposa Ian en tendant la boîte ouverte à Amanda.

Malgré l'odeur alléchante du chocolat et du sucre glace, c'est à peine si Amanda remarqua les pâtisseries, troublée plus qu'elle ne le désirait par la présence de cet homme.

— Non, merci. Je crains pour ma ligne.

Zeb s'esclaffa puis la détailla d'un regard de connaisseur.

— Votre ligne est irréprochable. Ce n'est pas un beignet ou deux qui y changeront quoi que ce soit.

Gênée, Amanda se rendit soudain compte du tour que prenait la conversation.

A son tour Ian baissa les yeux sur ses hanches, en faisant de visibles efforts pour réprimer un sourire. Devant l'expression de son visage, Amanda rougit de plus belle.

— Zeb, reconnaissez que vous êtes un grand polisson. Et n'oubliez pas d'emporter ces beignets dans votre chambre. La nourriture et les boissons sont interdites dans ce salon.

— Rabat-joie, va, grogna-t-il. Viens, Ian, j'ai une bouteille de Jack Daniel's dans mon placard. Ça va être un vrai régal avec ces beignets !

Puis il se mit à ranger ses pièces dans le compartiment prévu à cet effet sous l'échiquier en acajou et bois de rose.

— Quel dommage d'interrompre cette partie, le taquina Ian.

Ce disant, il sourit à Amanda, qui se sentit rougir une fois de plus.

— C'est pas grave. De toute façon, j'étais en train de perdre, dit Zeb.

*
* *

Ian quitta son grand-père à contrecœur. Quelle drôle d'idée de le savoir dans cette maison de repos, lui qui avait passé toute sa vie dans les collines, chassant, pêchant et s'occupant de sa petite plantation de tabac. Malheureusement, il s'était fracturé la hanche en tombant de sa mule, et il était mieux à Shade Tree Manor qu'à la ferme pour sa convalescence.

— Il va falloir que j'y aille, pépé. Je reviendrai te voir bientôt.

Il essayait de venir le plus souvent possible, mais il avait tant de travail à la ferronnerie qu'il n'avait trouvé le temps de lui rendre visite que deux fois en une semaine.

Le vieil homme, déjà occupé à regarder son émission préférée, lui fit un signe d'adieu de sa main noueuse. Ian sourit en remarquant un peu de chocolat sur la lèvre inférieure de son grand-père. Après lui avoir porté une serviette en papier, il alla jeter les gobelets qui avaient contenu leurs chocolats au lait.

— A plus !

Puis il repartit vers la réception.

Elle était encore là, cette infirmière qui faisait que son estomac lui jouait des tours qui n'avaient rien à voir avec le chocolat. Amanda Kelly. Il aimait la façon dont sonnait ce nom. La dernière fois qu'il était venu, elle n'avait pas fait attention à lui, mais lui si. Et aujourd'hui, lorsqu'elle s'était approchée de pépé, il avait eu un mal de chien à ne pas poser les yeux où il ne fallait pas. Même s'il ne se souvenait pas d'elle petite, sa silhouette tout en galbes, ses ravissants yeux verts et ses cheveux blonds étaient désormais gravés dans son esprit.

Elle portait une blouse vert pâle et un pantalon blanc. La couleur de sa blouse faisait ressortir celle de ses yeux, et Ian se demandait quelle différence d'âge la séparait de lui. D'après ce qu'avait dit son grand-père, elle devait être plus jeune. Pour l'instant, elle lui tournait le dos et, bien que sa blouse masquât sa silhouette, pépé avait sans aucun doute vu juste : elle avait une plastique parfaite en tous points.

Elle était penchée au-dessus d'une collègue installée devant un ordinateur. Toutes deux parlaient et Amanda hocha la tête avant de partir, munie de papiers, vers la réception. En levant les yeux vers lui, elle lui sourit, puis détourna le regard et continua son chemin.

Ian cherchait désespérément quelque chose à lui dire, n'importe quoi pour qu'elle s'arrête un moment et lui parle, quand une des feuilles de papier s'échappa de ses mains.

Il n'avait que deux pas à franchir pour la ramasser. Soudain, les portes coulissantes s'ouvrirent sur un jeune couple qui entra presque en courant. Ian reconnut Danny Taylor, qui travaillait au magasin de pièces détachées pour auto. Sa femme, toute jeune, portait un bébé enveloppé dans une couverture rose. Tous deux parlaient en riant sans regarder devant eux. Danny faillit renverser Amanda au moment où elle ramassait son papier.

— Danny, attention ! s'écria la femme de ce dernier en calant le bébé sur l'un de ses bras pour retenir son mari de l'autre main.

— Excusez-moi, madame, dit Danny à Amanda qui se relevait.

— Je vous en prie.

Amanda allait esquisser un sourire quand elle pâlit brusquement.

Elle posa les yeux sur le bébé avec un regard si plein de tristesse et de regret que Ian en eut froid dans le dos. Ce regard, il le connaissait pour l'avoir eu plus souvent qu'à son tour.

Combien de fois, n'avait-il pas dévisagé des bébés à la recherche d'une ressemblance ? Puis plus tard, n'avait-il pas scruté les visages des scouts dont il s'occupait de temps à autre ? Récemment encore, alors qu'il se demandait où pouvait bien être son fils à l'heure actuelle, il s'était surpris à dévisager des adolescents en ville : le livreur de pizza, le jeune pompiste…

Il avait beau savoir ses recherches inutiles, c'était plus fort que lui.

C'était cette même expression qu'il avait brièvement surprise sur le visage d'Amanda. Puis elle se détourna du bébé pour dissimuler ce visage qui ne trahissait que trop ses émotions. Voyant que Ian la regardait, elle lui fit un petit signe avant de s'enfuir littéralement dans le couloir, et de disparaître dans un bureau. Ian salua confusément Danny et sa toute jeune femme avant de regagner le parking, songeur.

Amanda avait-elle dû abandonner un enfant par le passé ? Allons ! Il était ridicule ! Comment faire de telles suppositions concernant une femme qu'il connaissait à peine ? La réaction qu'il avait observée chez elle pouvait être due à une foule de motifs. Peut-être avait-elle un enfant et regrettait-elle le temps où il était encore bébé. Les cousines de Ian ne se plaignaient-elles pas toujours de la vitesse à laquelle grandissait leur progéniture ? Ou peut-être Amanda désirait-elle tout simplement avoir un enfant ?

D'ailleurs, que lui prenait-il de s'inquiéter pour une inconnue et de se demander ce qui avait pu se passer dans sa vie ? Pourtant c'était plus fort que lui ; la tristesse qu'il avait lue dans le regard d'Amanda lui était allée droit au cœur. Et la façon dont elle avait cherché à dissimuler son émotion lui donnait envie d'aller lui demander de quoi il retournait. De lui dire qu'il était prêt à l'écouter si elle avait besoin de se confier, parce qu'il était passé par là, lui aussi.

Seize ans auparavant, par une triste journée, Ian avait éprouvé, lui aussi, cette douleur infinie qu'il avait lue dans le regard d'Amanda. Le jour où il avait officiellement abandonné son bébé à un couple d'inconnus.

2.

Ian posa ses gants de travail sur son établi. Il avait travaillé presque tout l'après-midi sur cette remorque à chevaux apportée par un fidèle client. Achetée aux enchères, la remorque avait besoin de nouveaux supports pour les mangeoires, de séparations pour la sellerie et de crochets métalliques pour suspendre longes et licols.

Fatigué, en sueur, Ian déposa son masque sur le poste de soudure et retira ses manches de protection. Il avait beau avoir travaillé d'arrache-pied toute la journée, un sentiment de vide et d'insatisfaction subsistait en lui. Depuis plusieurs jours déjà, il pensait continuellement à Amanda Kelly, malgré tous les clients qui venaient à l'atelier lui apporter du travail et bavarder un moment.

La conversation qu'il avait eue avec pépé l'autre matin lui revint en mémoire.

— Je n'ai pas pu m'empêcher de remarquer comment tu regardais miss Kelly, avait dit le vieil homme en le dévisageant de son œil perspicace.

— Evidemment, c'est une jolie fille, avait répondu Ian en souriant malgré lui au souvenir de la jeune femme.

— Ce n'est pas moi qui vais te dire le contraire. Mais je dirais que tu ne l'as pas seulement regardée comme une jolie fille.

— Que veux-tu dire ?

— Tu sais très bien ce que je veux dire. Ian, mon garçon, tu travailles trop. Depuis combien de temps n'es-tu pas sorti avec une femme ?

— Tu veux dire pour un rendez-vous ?

— Non, pour une partie de pêche !

— Je l'ignore… Si ! Lors de la dernière Saint-Valentin, lorsque la sœur de Billy Ray est venue en ville.

— C'est bien ce que je disais, soupira pépé en hochant la tête d'un air affligé. Tu devrais sortir davantage.

— Mais je ne peux tout de même pas demander à Amanda de sortir avec moi. Nous ne nous connaissons même pas.

— Ça ne mange pas de pain. Invite-la à sortir. Si j'avais dix ans de moins, je ne me gênerais pas pour l'inviter.

Ian avait éclaté de rire devant l'étincelle qui s'était allumée dans le regard de son grand-père ; malgré son âge, le vieil homme ne se départirait sans doute jamais de son goût pour les femmes.

— Comment comptes-tu fonder une famille si tu es toujours seul dans ton coin ! avait conclu pépé en reprenant son sérieux.

Bonne question, en effet, songea Ian en fermant l'atelier. Il se dirigea ensuite vers l'étable, près de laquelle Banjo, la mule rétive de pépé, réclamait bruyamment sa pitance. Après l'avoir régalée de quelques friandises, Ian gravit la colline pour regagner son foyer de toujours. Les vieilles marches du perron grincèrent sous son poids et Cuddles, le rottweiler qu'il avait eu tout chiot se leva en remuant la queue. Il le caressa et, après avoir rempli sa gamelle, rentra enfin chez lui.

La cuisine semblait bien silencieuse en l'absence de pépé, venu habiter ici à la mort de sa femme, un an auparavant. Ian prit une bière dans le frigo et alla la boire dans le salon.

Peut-être son grand-père avait-il raison : sa vie sociale laissait grandement à désirer, et il ne se rappelait pas avoir vu chez lui une femme autre qu'une parente.

Dans la famille Bonner, les hommes avaient plutôt tendance à vivre plus longtemps que leur femme. La mère de Ian avait succombé à un cancer de nombreuses années auparavant. Son père vivait désormais en Virginie, près de trois de ses sœurs et de leur petite famille. Matthew Bonner avait sans doute renoncé à devenir grand-père, n'ayant eu qu'un fils en la personne de Ian. Regrettait-il d'avoir autrefois poussé son fils à abandonner son enfant ?

Ian se laissa tomber sur son fauteuil préféré et, les pieds sur un pouf, essaya de voir le décor qui l'entourait avec l'œil d'une personne qui entrerait chez lui pour la première fois. Quelle serait l'impression d'Amanda Kelly s'il l'invitait chez lui ? Le séjour était propre, mais en désordre, les fenêtres dépourvues de rideau. Le vis-à-vis n'était pas à craindre, il est vrai, puisque les plus proches voisins habitaient à plus d'un kilomètre et que la maison était située sur une colline à l'écart de la route.

Fermant les yeux, Ian s'imagina gravissant les marches du perron avec Amanda, l'invitant à prendre un verre chez lui. Du thé ou un Coca, certainement, car elle ne semblait pas du genre à boire de la bière. Du vin peut-être ? Mais comment en aurait-il eu la moindre idée ? Ainsi que pépé le lui avait fait remarquer, il ne consacrait guère de temps aux femmes et, d'une manière générale, elles restaient pour lui un mystère.

Pourtant, il avait été plutôt coureur dans sa jeunesse, ce qui lui avait valu bien des ennuis du reste. En un rien de temps, Jolene Bradford, sa petite amie de lycée, lui avait pris son cœur, sa virginité et la bague en or que portaient tous les élèves de sa promotion. Mettre Jolene enceinte pendant sa deuxième année dans le secondaire n'avait pas été ce qu'il avait fait de mieux dans la vie. Aussi avait-il pensé qu'abandonner l'enfant était la solution la plus raisonnable, et que cette décision lui permettrait de faire un pas dans la bonne direction pour devenir adulte et responsable. C'est du moins ce qu'il lui avait semblé à l'époque.

Mais avec le temps, le regret de ne pas savoir ce qu'était devenu son fils avait commencé à le ronger. Il s'était jeté dans le travail, faisant des petits boulots après les cours et aidant son grand-père dans les champs de tabac. Un jour poussait l'autre, les années se suivirent…

Aujourd'hui, Ian avait son propre atelier de soudure et pépé était à la maison de repos.

A quoi se résumait sa vie ? Il avait toujours cru qu'à trente-deux ans, il aurait déjà fondé une famille. Que ses enfants et sa femme l'attendraient le soir, lorsqu'il rentrerait du travail… Malgré ses recherches, il n'avait jamais réussi à retrouver son fils, et cette douleur insidieuse et tenace l'accompagnait à chaque instant de sa vie.

Repoussant sa mélancolie, Ian se remit à songer à Amanda. Pourquoi ne pas l'inviter tout simplement à sortir avec lui un soir ? Il pourrait l'emmener dîner, danser peut-être… Non ! Il n'avait pas dansé depuis si longtemps qu'il craignait de se couvrir de ridicule en lui marchant sur les pieds. Donc, une invitation à dîner, dans un établissement agréable mais pas trop romantique. Bien qu'ils se connaissent à peine, il espérait qu'elle accepterait l'invitation, ne serait-ce que parce que leurs grands-parents respectifs étaient amis.

Mais une femme comme Amanda goûterait-elle son style de vie ? En tant qu'infirmière, elle devait être habituée à certains raffinements et pas aux travailleurs manuels.

— Tu t'égares, mon vieux, marmonna-t-il.

Mais quel mal y avait-il au fait de chercher à faire connaissance ? Il entendait de nouveau la voix de pépé comme s'il y était : « Ça ne mange pas de pain, mon garçon. »

Pépé était dans le vrai.

Cuddles gratta à la porte.

— Tu parles d'un chien de garde, le gronda gentiment Ian en le laissant entrer.

Le chien se précipita à l'intérieur et se coucha sur le dos, quémandant une caresse.

— Gros bébé, va, dit Ian en lui gratouillant le ventre.

Amanda aimait-elle les chiens ?

Il réussirait peut-être à l'apprendre, lors de sa prochaine visite à la maison de repos.

A sa grande déception, Amanda n'était pas de service lorsqu'il passa à Shade Tree Manor le vendredi soir. Néanmoins, il apprit par pépé qu'elle habitait le chalet de sa grand-mère et disposait de ses samedis. Aussi Ian décida-t-il de se rendre au vieux chalet d'Olivia Satterfield le lendemain lorsqu'il aurait terminé quelques corvées à l'atelier. Malheureusement un coup de téléphone l'obligea à changer ses projets, et il dut finalement s'occuper de la petite troupe de scouts qu'il prenait en charge bénévolement une fois par mois : les Cumberland Cubs, un groupe de garçons de moins de douze ans.

Certes il adorait emmener les gamins camper, mais l'ayant déjà fait le samedi précédent, il ne s'attendait pas à recommencer de si tôt. L'ennui, c'est qu'il ne savait pas refuser lorsqu'on lui demandait un service.

— Je te remercie vraiment, vieux, lui dit Neil au moment de partir. Avec Peggy et les petites alitées à cause de la grippe et mes deux autres chefs scouts malades, je ne savais plus vers qui me tourner. Et je ne voulais pas décevoir les gamins. Ils adorent aller camper du côté de l'ancien chalet d'Olivia Satterfield.

— Comment ? C'est là-bas que tu comptais les emmener ?

— Ben oui, tu sais bien que l'on y va au moins une fois tous les deux mois, répondit Neil d'un air surpris.

Olivia Satterfield, qui partageait une égale passion pour la forêt et les enfants, les avait en effet autorisés à venir camper au bout de ses cinq hectares. Néanmoins, Ian pensait que cela ne serait plus possible maintenant qu'Amanda habitait le chalet.

— Je sais, mais… est-ce que la nouvelle propriétaire est d'accord ?

— Le jour de l'enterrement, sa fille Bridget m'a dit que sa mère avait spécifié par testament que les Cubs pourraient continuer à venir camper aussi longtemps que le chalet resterait dans la famille. Je croyais t'en avoir parlé.

— J'ai dû oublier. J'espère que sa petite-fille sera de cet avis, dit Ian en réprimant un sourire.

Tout cela s'arrangeait à merveille !

— De toute façon, c'est écrit noir sur blanc dans le testament, lui certifia Neil. Bon, les garçons, embarquement immédiat !

Les gamins s'entassèrent dans la camionnette de Neil, suivis de Ian qui s'installa au volant avec l'impression de redevenir un gosse. Un gosse qui avait un béguin.

L'un des garçons se leva pour le remercier d'une tape dans le dos.

— Merci de nous emmener camper, Ian !

— Je t'en prie, Jeffrey.

Ian eut soudain honte de ne penser qu'à l'occasion qui allait lui être donnée de voir Amanda. Il adorait les enfants, et ce week-end de camping était organisé pour le plaisir des Cubs, et non le sien.

Mais quel mal y avait-il à se sentir aussi heureux que sa petite troupe ?

— Vous êtes tous attachés ?

— Oui ! crièrent les gamins en chœur.

— Vous avez tous envie de passer un super week-end ?

— Oui ! hurlèrent-ils.

Ian sourit. Pour sa part, il passait d'ores et déjà un super week-end.

— Vous rêvez tous d'embrasser une fille ?

— Non !

— Beurk !

— J'y vais pas si on doit embrasser des filles !

— D'accord, alors pas de filles, dit Ian en éclatant de rire. Si on attrapait des grenouilles ?

— Ouais !

Le visage fendu d'un large sourire, Ian fit un signe d'adieu à Neil et démarra.

Amanda s'enfonça dans la mousse de son bain. Le disque de bruits de la nature qu'elle écoutait dans son baladeur, ainsi que les essences d'huiles essentielles qu'exhalaient les bougies parfumées l'aidaient à se détendre. Les yeux fermés, elle finit par somnoler un moment. Lorsqu'elle se réveilla, le disque était arrivé à sa fin. Néanmoins, le gazouillis des oiseaux parvenait encore à ses oreilles. Elle retira ses écouteurs en riant : qu'avait-elle besoin d'un disque ? Des bruits de la nature, il y en avait autant qu'elle en voulait dehors !

Après avoir ajouté de l'eau chaude à son bain, elle ouvrit la fenêtre et reconnut le clapotis du ruisseau tout proche.

Le chant des oiseaux lui parvint, plus fort, ainsi que... des voix d'enfants.

Des enfants ? Ici ? Amanda jeta un œil prudent par la fenêtre. Personne. Les plus proches voisins habitaient à une certaine distance. D'où pouvaient provenir ces voix ? Elle tendit l'oreille. D'abord, elle n'entendit rien. Puis des rires retentirent, suivis par un éclat de voix plus grave.

Amanda ferma les rideaux en toute hâte et sortit de la baignoire. Après avoir éteint les bougies et s'être séchée à la va-vite, elle enfila un peignoir. Qui pouvait bien se promener juste derrière chez elle ? En pénétrant dans sa cuisine, elle poussa un grand cri.

Un enfant âgé de neuf ou dix ans se tenait près de l'évier. Il avait de bonnes joues, des cheveux blond roux, des taches de rousseur, des yeux écarquillés, et ouvrait tout grand sa bouche barbouillée de sucreries. La tasse en plastique qu'il tenait à la main lui échappa et son contenu se répandit sur le sol.

— Comment t'appelles-tu ? demanda Amanda en resserrant son peignoir autour d'elle. Et peut-on savoir ce que tu fais dans ma cuisine ?

— Je... je...

Le pauvre gosse tenta en vain de répondre. Puis il regarda l'eau répandue à ses pieds, et enfin releva les yeux vers elle.

— Vous n'êtes pas miss Rachel.

Miss Rachel était une vieille amie de Granny Satterfield qui avait veillé sur la maison au cours des deux dernières années et qui habitait un peu plus loin.

— Non, je suis Amanda Kelly. Cette maison était celle de ma grand-mère.

— Je m'appelle Troy Stoakes, dit le jeune garçon en se baissant pour ramasser sa tasse.

Amanda s'aperçut alors qu'il portait une tenue de scout.

Les scouts étant censés être des gens d'honneur et de confiance, sans doute ce garçon n'était-il pas entré chez elle avec de mauvaises intentions. Mais le fait qu'il soit entré sans frapper ne laissait pas de l'étonner, même en considérant que les manières n'étaient pas les mêmes à la campagne.

— Si vous avez un torchon, je vais essuyer ça.

— Ce n'est pas grave, dit Amanda en s'emparant d'un rouleau d'essuie-tout. Dis-moi simplement ce que tu fais dans ma cuisine, Troy.

— Je sais bien que miss Olivia est morte, mais je croyais que c'était toujours miss Rachel qui s'occupait de la maison. Miss Olivia nous avait donné la permission de venir chercher un verre d'eau ou un biscuit chez elle, et miss Rachel était d'accord pour qu'on vienne chercher de l'eau. Je n'ai pas le droit de boire l'eau de la rivière. M'man dit que je vais attraper la jardinose.

— Tu veux dire la giardiase, dit Amanda en l'aidant à éponger l'eau.

— Miss Rachel dit que nous pouvons utiliser ces tasses, là, sur l'étagère.

— Je vois.

Amanda n'avait guère prêté attention à ces tasses en plastique. La maison et l'appentis contenaient encore beaucoup d'objets ayant appartenu à Granny.

— Cela ne me dit toujours pas ce que tu fais ici.

Puis, se rappelant les rires de tout à l'heure :

— Y a-t-il des scouts dans les parages ?

— Oui. On va passer la nuit dans les bois derrière chez vous ! On vient là plusieurs fois par an, c'est un de nos coins préférés. On s'appelle les Cumberland Cubs.

L'enfant sourit fièrement, révélant des dents noircies, sans doute par de la réglisse.

— Où est votre chef ?

— Là derrière. Il s'appelle Aaian.

Ils avaient terminé d'éponger l'eau. Troy but un peu après avoir rempli sa tasse en faisant bien attention.

— Je peux y aller maintenant ?

— Bien sûr.

— Salut !

Au moment de sortir, il se retourna.

— Excusez-moi de vous avoir fait peur, m'dame !

— Ce n'est pas grave.

L'enfant partit en courant, laissant claquer la moustiquaire derrière lui. Amanda alla fermer la porte en se promettant de fermer à clef à l'avenir, même si le seul vol dont elle se souvînt était un vol d'œufs perpétré par un opossum. Néanmoins elle alla s'habiller, bien décidée à aller voir le chef des scouts.

Aaian ? Drôle de prénom.

Elle était en train d'enfiler son jean quand elle comprit : Troy, qui avait un accent du Sud à couper au couteau, avait tout simplement voulu dire « Ian ». S'agissait-il de Ian Bonner ?

Le cœur battant, elle sortit précipitamment, imaginant Ian, avec ses yeux chocolat et son accent sexy, dormant dans les bois à quelques mètres de chez elle. Mais peut-être s'agissait-il d'un autre Ian. Quoi qu'il en soit, ce Ian lui avait amené des enfants, et leur présence la mettait quelque peu mal à l'aise.

Comment avait-il eu le culot de venir sans l'en avertir ? Même si elle était prête à respecter les vœux de Granny, cet homme aurait tout de même pu avoir la politesse de lui demander si leur présence ne la dérangeait pas avant de débarquer avec une horde de scouts !

Bien que sachant qu'il valait mieux porter des bottes à cause des serpents, Amanda pénétra dans le bois chaussée de tennis qui lui permettaient d'avancer en silence. Elle parvint ainsi sans trahir sa présence tout près d'un homme assis sur un rondin, dans une clairière située juste derrière chez elle. C'était bien Ian Bonner. Il surveillait les enfants qui montaient les tentes et déballaient les provisions.

— Il va falloir faire du feu, les gars. Je vous aiderais volontiers, mais vous connaissez les règles. Rappelez-moi ce que doit faire un Cumberland Cub avant de demander de l'aide à son supérieur ?

— Il se fait aider par un camarade ! crièrent plusieurs garçons.

— Et il persévère jusqu'à ce qu'il réussisse ! cria un autre.

— Exact. Alors, à vous de jouer !

En dépit de ces paroles, l'expression de son visage disait assez combien il aurait aimé mettre la main à la pâte et les aider. Soudain, il remarqua la présence de la jeune femme.

Le cœur d'Amanda fit un bond dans sa poitrine. Elle s'appliqua de son mieux à cacher ce qu'elle éprouvait. Ne se sentant pas prête pour une relation poussée, elle n'avait aucune raison de ressentir une quelconque attirance pour lui ; ni pour aucun homme d'ailleurs. Serait-elle seulement capable de s'engager plus loin que la simple amitié avec quelqu'un ? Sortir avec un homme voulait dire relations intimes, c'est-à-dire cœur brisé. Bien sûr elle noircissait quelque peu le tableau, mais ses fiançailles avec Mark l'avaient vaccinée.

Depuis cet accident qui lui avait tout pris, Amanda voyait les choses d'un point de vue radicalement différent. Autrefois, elle aimait travailler à la maternité où elle s'occupait d'une foule de nouveau-nés. Ces créatures adorables, blotties dans des couvertures décorées de nounours, avec leurs chaussons minuscules, leur peau d'une douceur incroyable et leur odeur sucrée. Autrefois, elle rêvait d'avoir un jour un enfant.

Mais depuis la mort d'Anna, Amanda ne rêvait plus d'avoir un jour un mari, une famille…

3.

Amanda s'avança calmement vers Ian en se disant qu'il était ridicule de se faire autant d'idées à son sujet. Après tout, elle le connaissait à peine. Et même si elle était certaine qu'il l'avait regardée avec un certain intérêt l'autre jour, cela ne voulait pas dire qu'il allait lui proposer quoi que ce soit. Seuls, son expérience passée et le traumatisme de l'accident la poussaient à se méfier ainsi. Mark et elle, en effet, avaient commis l'erreur de ne pas mettre certaines choses au point dès le début de leur relation. Comme le fait, par exemple, qu'elle désirait avoir des enfants et lui non. Combien de fois ne s'étaient-ils pas querellés à ce sujet ? La décision de donner naissance à l'enfant de sa sœur avait porté le coup de grâce à leur relation déjà branlante.

Mark était déjà sorti de sa vie lorsqu'elle avait été victime de cet accident. Néanmoins, tout cet ensemble d'événements avait permis à Amanda de comprendre quelque chose : jamais plus elle ne s'engagerait à l'aveuglette dans une relation intime.

— Salut ! dit-elle en arrivant devant Ian.

Celui-ci se leva.

— Salut, Amanda. Content de vous revoir.

— J'ignorais que j'avais de la compagnie, continua-t-elle en essayant de ne pas se montrer trop agressive.

Espérer éviter toute sa vie les enfants et les bébés était illusoire, elle le savait, et elle n'avait guère l'intention de rendre les autres responsables de ses angoisses. Lorsque Ian se tourna vers elle en souriant, elle sentit son agacement s'estomper quelque peu.

— Nous avons frappé à la porte. Il m'a semblé qu'il n'y avait personne.

Elle allait expliquer qu'elle ne l'avait pas entendu à cause de son baladeur quand elle se ravisa : mieux valait éviter de se représenter à lui dans son bain.

— J'ai l'impression qu'ici, dans le Sud, les règles ne sont pas les mêmes que par chez nous. Dans l'Ouest, pénétrer dans une propriété privée est un crime, et le fait que le propriétaire soit absent ne change rien à la chose. Cela s'appelle une effraction.

Mais comment être vraiment fâchée contre un garçon à la voix aussi douce et aussi sexy ?

Ian sourit, comme s'il devinait ses pensées.

— Vous avez absolument raison. Mais ici, dans le Tennessee, lorsque ces choses se passent entre voisins, on appelle cela de la convivialité. Je n'ai su qu'après coup que Troy était entré chez vous. Nous apportons toujours de l'eau de source avec nous, mais il trouve plus amusant d'aller pomper de l'eau dans votre cuisine.

— J'ai peut-être eu tort de m'emporter. Troy m'a dit que Granny les autorisait à venir camper souvent.

— En effet. Et j'ai cru comprendre que votre mère le faisait aussi. Il semblerait que votre grand-mère l'ait exigé par testament. Cela dit, étant donné que c'est vous qui logez maintenant ici, je reconnais que c'était un peu cavalier de ma part de supposer que vous seriez forcément d'accord. Je vous présente mes excuses.

La mère d'Amanda avait omis de lui communiquer les détails contenus dans le testament. Il est vrai que, tout de suite après l'enterrement, elle s'était envolée vers une nouvelle terre promise.

— Ce n'est pas grave.

— Mais j'ai des circonstances atténuantes, même si elles sont minuscules, reprit Ian, l'œil pétillant.

— Et peut-on savoir lesquelles ?

— Je ne suis chef scout que par intérim. Celui qui devait conduire les enfants ici a dû déclarer forfait à la dernière minute parce que sa femme et ses enfants étaient tombés malades. Il y a une épidémie de grippe en ce moment.

— Vous feriez bien de vous faire vacciner, dans ce cas, dit Amanda sur son ton le plus médical.

Ian éclata de rire, et Amanda sentit toute sa mauvaise humeur s'envoler. Discuter avec lui avait quelque chose d'évident, comme s'il s'agissait d'une vieille connaissance.

— Cela ne vous dérange pas que nous restions ?

— Bien sûr que non.

Elle allait bien réussir à supporter la présence de ces enfants, pourvu qu'ils ne viennent ni trop souvent, ni pour longtemps.

— Néanmoins, j'aimerais être avertie, la prochaine fois.

— Vous savez, si cela vous pose un quelconque problème, nous pouvons cesser de venir ici.

Soudain, Amanda eu l'impression d'avoir le mauvais rôle et voulut se justifier.

— En fait, je suis venue ici pour être seule et au calme.

Et, comme il la regardait d'un air intrigué, elle ajouta :

— Disons que j'ai des problèmes personnels à régler.

— Ah.

Ian semblait à la fois curieux et suffisamment discret pour ne pas poser plus de questions.

— Je crois, reprit-il, que vous n'étiez pas venue depuis un bout de temps ?

Amanda éprouva une fois de plus le regret de ne pas avoir rendu visite à Granny plus souvent.

— Effectivement. J'étais encore une enfant la dernière fois que je suis venue ici. Excepté, bien sûr, pour l'enterrement.

— Alors vous ne savez pas à côté de quoi vous êtes passée.

Ian se rassit sur le rondin en lui ménageant une place.

— Quoi, par exemple ? demanda-t-elle, intriguée.

— Le restaurant BJ's créé en 1995. Le meilleur grill de tout ce côté du Mississippi !

A un léger mouvement qu'il fit, la manche de sa chemise toucha le bras nu d'Amanda. Elle n'osa plus bouger, ni pour se rapprocher, ni pour s'éloigner.

— Vraiment ? Il faudra que j'y aille un de ces jours.

Aussitôt, elle se rendit compte qu'il pouvait interpréter ces mots comme une manœuvre pour se faire inviter. Cependant, il pouvait lui aussi avoir des intentions cachées. N'était-ce pas lui qui avait parlé de ce restaurant le premier ?

— Cela dit, cela m'étonnerait que je trouve le temps d'y aller, ajouta-t-elle vivement.

— Vous êtes occupée à ce point ? s'étonna-t-il, une légère déception au fond du regard.

— Oui, la plupart du temps. J'ai rarement deux jours de congés d'affilée. Mais cela ne me gêne pas : mes pensionnaires sont très importants pour moi.

— Tant mieux. En tout cas, pépé vous aime beaucoup.

— Pour tout vous dire, je sais que je ne suis pas censée avoir de préférence, mais Zeb occupe une place particulière dans mon cœur. J'ai l'impression de le connaître depuis toujours, bien que je ne me rappelle pas l'avoir vu étant petite.

— Tous les gens qui le rencontrent ont la même impression. Cela me manque de ne plus l'avoir à la maison.

— J'ignorais qu'il habitait chez vous.

Amanda fit de son mieux pour cacher sa surprise. La plupart des gens auraient tout fait pour éviter de prendre à demeure un parent âgé.

— Malheureusement, depuis que sa mule l'a désarçonné…

— C'est donc vraiment ainsi qu'il s'est fracturé la hanche ? Je croyais qu'il me faisait marcher.

Ian se tourna vers elle et elle ne parvint pas à détacher ses yeux des siens.

— Eh non ! Pépé s'est toujours pris pour un cow-boy. Ce n'est pas faute de lui avoir répété que la monture de John Wayne n'était pas une mule.

— Oui mais le shérif adjoint montait une mule dans la série *Le Justicier* ! précisa Amanda en éclatant de rire.

— C'est vrai.

Ian se tourna vers les enfants qui achevaient de dresser leur camp et resta silencieux un moment.

Il était temps pour Amanda de se retirer. Elle se leva, prête à lui dire au revoir.

— Cela vous plairait-il d'aller au BJ's avec moi ? demanda-t-il soudain en la regardant bien en face.

— Je… je ne sais pas, Ian. Je…

— Hé ! s'écria l'un des enfants en accourant, suivi de Troy.

Les deux garçons s'arrêtèrent devant eux en échangeant un regard complice.

— On avait dit qu'on n'embrasserait pas de filles pendant le week-end, dit Troy, la mine réjouie. Pourtant, t'es assis drôlement près d'elle.

— C'est sûrement plus intéressant que d'attraper des grenouilles ! s'esclaffa son camarade avant de s'enfuir en hurlant de rire.

Troy rougit, puis, reculant pour se mettre hors de portée de Ian :

— En tout cas, elle est super-mignonne dans son peignoir rose !

Puis il rejoignit son camarade en riant à gorge déployée.

— Je vous aurai tous les deux ! Attendez un peu ce soir ! leur cria Ian. Ah, les gosses… Je les adore.

Amanda l'observa un instant en silence. Il lui sourit, et la chaleur de son sourire l'enveloppa tout entière.

— Enfin, reprit-il. J'ai l'impression qu'ils sont plus habiles à lire dans les cœurs qu'à lire les empreintes d'animaux.

— Je croyais que seules les petites filles s'amusaient de ce genre de choses, répliqua Amanda en rougissant.

Sans répondre, Ian se leva et lui offrit sa main. Elle l'accepta et il l'aida à se relever. A nouveau, au contact de sa peau rugueuse, elle fut prise d'un élan de désir et de regret. De tristes souvenirs lui revinrent, qui menaçaient de gâcher cette belle journée ensoleillée où résonnaient les rires heureux des enfants dans la clairière. Sentant une angoisse familière monter en elle, Amanda inspira profondément pour se détendre.

Après avoir remercié Ian, elle se rappela qu'elle n'avait pas répondu à sa question.

— Pour ce qui est de votre invitation… ne le prenez surtout pas mal, mais il vaut mieux que je la refuse.

— Ne vous en faites surtout pas pour cela.

Il la dévisagea un moment avant de lui décocher un sourire franc et sincère qui lui fit regretter son refus.

Un silence gêné s'installa.

— Je ne bouge pas de chez moi aujourd'hui. En cas de genou écorché ou de piqûre d'insecte, n'hésitez pas à m'appeler.

Ian sourit, révélant à nouveau ses fossettes.

— Une infirmière à notre disposition juste à côté du campement ? Ma trousse de premiers secours peut aller se rhabiller !

— A plus tard.

— A plus tard. Et profitez bien de votre jour de congé. J'essaierai d'empêcher mes hooligans de hurler.

Tout en s'éloignant, elle regretta presque de ne pas avoir accepté son invitation.

Mais à quoi bon s'exposer à souffrir encore davantage ?

Elle ignorait la réponse. Mais n'était-ce pas précisément pour cela qu'elle était venue dans le Tennessee ? Pour y voir clair, trouver des réponses et prendre le temps de faire des projets d'avenir ? Pour le moment, elle ne voyait pas où la vie la menait. Tout ce qu'elle savait, c'est qu'il n'y avait pas de place dans son existence pour un beau garçon aux yeux bruns, ni pour les rêves qui allaient avec.

Ian n'en revenait pas encore d'avoir trouvé le courage de l'inviter. Mais bien que ce ne soit qu'une simple invitation dans un restaurant sans prétention, il avait trouvé le moyen d'échouer. De toute évidence, il avait complètement oublié comment s'y prendre avec les femmes. Si son grand-père apprenait sa mésaventure, il risquait de lui faire passer un fameux quart d'heure.

Installé dans son sac de couchage, les mains croisées sous la tête, il contemplait le ciel étoilé. Il ne tarderait sans doute pas à regagner la tente qu'il avait montée non loin de là, ne serait-ce que pour échapper aux insectes et s'épargner la visite éventuelle d'un serpent. Mais il aimait contempler les étoiles. Les enfants avaient tous regagné leurs tentes et ne faisaient plus aucun bruit pour la plupart. Il les laissait rire et discuter tant que les quelques gloussements étouffés qui parvenaient à ses oreilles ne dégénéraient pas. Après tout, le camping entre copains était fait pour s'amuser.

« S'amuser »… Un verbe qui avait pratiquement disparu de son vocabulaire jusqu'à ces derniers temps.

Il discernait parfaitement la silhouette du chalet d'Amanda entre les arbres. Toutes les fenêtres étaient éteintes de son côté, mais les autres ? Il ne se souvenait pas parfaitement de la disposition des pièces, bien qu'il y soit entré quelquefois du temps d'Olivia Satterfield. Il s'amusa néanmoins à imaginer la jeune femme à l'intérieur. Peut-être dormait-elle déjà ? Ou bien lisait-elle, installée dans le séjour ?

Ils s'étaient quittés bizarrement tout à l'heure. Pourvu qu'il ne l'ait pas mise mal à l'aise en l'invitant. Et si elle avait un petit ami, voire un mari au Colorado ? N'avait-elle pas dit être venue régler des problèmes personnels ? Une foule de gens se séparaient, le temps d'y voir plus clair avant de retourner vivre en couple. Ian espérait que tel n'était pas le cas pour Amanda, car il ne se sentait pas prêt à renoncer à elle.

Amanda lui plaisait vraiment. Il n'y avait qu'à la regarder pour comprendre que c'était une fille chaleureuse, qui avait le sens de l'humour et semblait aimer les enfants, même si quelques bémols s'imposaient à ce sujet. Elle avait beau dire le contraire, il était évident que la présence des Cubs derrière chez elle ne la comblait pas de joie. Simplement, par gentillesse, elle n'avait pas voulu le lui dire. Il ne l'avait pas poussée dans ses retranchements de peur de causer une déception à ses troupes. Mais que cachait l'hésitation d'Amanda ? Il aurait parié qu'elle ne craignait pas seulement pour sa tranquillité.

Ian sortit en soupirant de son sac de couchage où il s'était glissé tout habillé. Lorsqu'il campait avec les enfants, il ne se déshabillait jamais ; au cas où une urgence surviendrait, il se voyait mal faire face nus pieds et en caleçon. Avant d'enfiler ses chaussures de marche, il les retourna et les frappa contre un rocher pour s'assurer qu'aucune bestiole indésirable n'y avait élu domicile. Comme il avait besoin de marcher, il s'engagea sur le sentier qui menait au chalet d'Amanda.

De mystérieuses raisons le poussaient à voir de plus près la maison à l'intérieur de laquelle elle dormait. Pour passer encore un moment à penser à elle. Et peut-être aurait-elle l'idée de prendre le frais…

Il arrivait en vue du jardin quand un bruit de pleurs lui parvint. Il s'arrêta et tendit l'oreille : rien. Sans doute son imagination lui jouait-elle des tours. Puis, à nouveau ce bruit, comme des sanglots, en provenance du ruisseau. Ian hésita. Ne valait-il pas mieux rebrousser chemin et s'occuper de ses propres affaires ? Non. Entendre une femme pleurer lui fendait toujours le cœur.

Il ne vit tout d'abord rien à cause des nuages qui recouvraient la lune, mais un vent d'altitude les balaya soudain et il aperçut Amanda, assise au bord du ruisseau. Elle lui tournait le dos et ses cheveux blonds retombaient en cascade presque jusqu'à sa taille. C'était la première fois qu'il la voyait sans chignon ni queue-de-cheval. Repliée sur elle-même, elle pleurait toutes les larmes de son corps.

Hésitant toujours entre ne pas intervenir et le besoin de la réconforter, il s'avança en silence.

— Allons, cela ne doit pas être aussi grave que ça.

Amanda se retourna brusquement en laissant échapper un cri. Elle se releva tant bien que mal en s'essuyant les joues des deux mains.

— Vous m'avez fait une de ces peurs !

Reprenant le contrôle d'elle-même, elle le regarda bien en face, à la fois gênée et en colère. Avec son jean délavé, son chemisier jaune pâle, ses pieds nus et ses bras qui n'avaient pas pris le soleil depuis longtemps, elle lui fit penser à une gamine. Une gamine qu'il avait envie de prendre dans ses bras pour consoler.

— Désolé, je ne voulais pas vous causer une telle frayeur.

— Que faites-vous ici ?

L'air soudain inquiet et méfiant, elle jeta un rapide coup d'œil en direction du chalet, comme pour mesurer la distance qui l'en séparait.

Pensait-elle qu'il allait lui sauter dessus comme un satyre ?

Il leva les mains en l'air en signe de reddition.

— Ne tirez pas ! Je ne suis pas armé.

Mais elle ne sourit même pas à sa plaisanterie et le fixait, presque sans le voir.

— Je croyais vous avoir dit au revoir tout à l'heure. L'un de vos garçons n'est pas malade ou blessé, au moins ?

— Non. Tout le monde va bien. Je n'arrivais pas à dormir. Je vous ai entendue pleurer et je suis venu voir si vous n'aviez rien. Tout va bien ?

— Très bien. Juste un peu le mal du pays, je suppose.

Mais son regard la trahissait, et Ian devina qu'elle lui cachait quelque chose. Elle le regardait à présent comme si elle avait envie, ou besoin, de parler à quelqu'un.

— Pépé m'a dit que vous veniez du Colorado.

— En effet.

— Je peux vous demander comment vous êtes arrivée ici ?

— En voiture… Désolée, c'était juste une touche d'humour pour alléger l'atmosphère. Excusez-moi de vous avoir traité comme un intrus.

— Il n'y a pas de mal… D'ailleurs, d'une certaine façon, je me suis comporté comme un intrus en débarquant chez vous avec les gamins.

— Cela ne fait pas de vous Jack l'Eventreur.

— Non, et de loin !

Ian sourit. Il aurait aimé la voir se détendre et rire en sa présence. Se rendait-elle compte qu'elle était une autre femme, une fois sortie de Shade Tree Manor ?

La différence était telle qu'elle excita sa curiosité.

— Eh bien, puisque nous ne dormons ni l'un ni l'autre, voulez-vous bavarder un moment ? C'est toujours bien de faire connaissance entre voisins.

A nouveau, le visage d'Amanda trahit le combat qu'elle menait entre son envie de parler et son hésitation. Elle répondit enfin, comme à contrecœur :

— D'accord. Voulez-vous boire quelque chose ? Un Coca ? Je pourrais vous l'apporter sous le porche, pour vous éviter de vous éloigner des enfants… Mais peut-être est-ce déjà trop loin du camp ?

— Non. Ils ne risquent rien. Ils ont monté leurs tentes dans la clairière, là où nous avons discuté tout à l'heure.

Amanda traversa la pelouse en contournant la sculpture qu'il avait autrefois réalisée pour Olivia Satterfield.

Il l'avait presque oubliée. C'était un petit bouc fantaisiste en métaux de récupération, à la barbe flottante et au cou tendu comme s'il broutait.

— Kitsch, vous ne trouvez pas ? Je crois que je vais l'enlever de là comme les autres, fit remarquer Amanda en montrant des sujets en terre cuite. Cela facilitera le travail du garçon qui vient tondre la pelouse.

— Sans doute, renchérit Ian en réprimant un sourire.

— C'est incroyable la vitesse à laquelle l'herbe pousse ici. Je l'ai fait tondre il y a moins d'une semaine.

— C'est à cause de l'humidité. Je vous attends dehors, au cas où.

— D'accord.

Elle disparut dans le chalet quelques minutes et revint munie de deux Coca. Puis elle s'installa sur le bord de la balustrade, dans une attitude à la fois tendue et vulnérable, comme si elle avait envie de lui faire confiance tout en doutant que ce soit une bonne idée.

Ian s'assit sur les marches du porche, d'où il pouvait garder un œil sur les enfants. Un élan protecteur s'empara brusquement de lui, comme cela lui arrivait souvent, toujours sans crier gare. Il pouvait avoir la tête à des préoccupations personnelles et soudain, il suffisait qu'il passe près d'un groupe de gosses, comme la semaine précédente, dans la galerie marchande de la ville voisine, et voilà ! Le besoin de protéger quelqu'un le reprenait. Un instinct paternel en quelque sorte.

Combien de gosses étaient-ils livrés à eux-mêmes de par le monde, sans personne pour veiller sur eux ? Cette idée l'avait toujours révolté, et il priait souvent pour que son propre fils ait trouvé des parents dignes de ce nom.

— Ian ? l'appela Amanda comme s'il ne l'avait pas entendue la première fois.

— Pardon. J'étais ailleurs. Je dois être plus fatigué que je ne le croyais.

— Je vous disais que nous ne sommes pas obligés de rester ici, vous savez. Si vous préférez emporter ce Coca …

— Non. J'aime discuter avec vous. C'est bon de pouvoir parler avec un individu ayant à la fois deux pattes et plus de dix ans !

— Pardon ?

— Je faisais allusion aux enfants et à mon chien qui a plus de dix ans, si l'on compte en années-chien. Mais les quadrupèdes manquent terriblement de conversation.

Le rire d'Amanda se répandit sur lui comme une brise tiède.

— De quelle race est-il ?

— Rottweiler.

— Un rottweiler ? Oh…, dit-elle en frissonnant.

— Il n'est pas méchant du tout. Plutôt du genre gros bébé. Trois ans, cinquante kilos, et tout ce qu'il veut, c'est qu'on lui caresse le ventre.

— Tout à fait mon type de chiens. Granny avait un chien de chasse dans le même genre.

— Vous savez, il ne sait pas parler, mais il sait écouter. Ce doit être vrai, tout ce que l'on dit à propos du meilleur ami de l'homme, dit Ian en levant son verre à la santé d'Amanda.

— Les animaux sont les êtres parfaits pour se délivrer de ses secrets, murmura-t-elle, le regard perdu au loin. Il y a un petit écureuil gris qui vient parfois sous le porche.

Je l'ai appelé Skippy. Il adore les croûtons. Je lui donne à manger et je lui parle.

La mélancolie de son regard émut Ian. Elle lui rappelait étrangement ce qu'il voyait lorsqu'il se regardait dans un miroir. Aussitôt, il songea à l'incident survenu à la maison de repos l'autre jour, et ce qu'il avait ressenti, comme s'il avait un point commun avec Amanda.

— C'est gentil à vous d'autoriser les enfants à rester.

— Comme je vous l'ai dit, cela ne me dérange pas, une fois de temps en temps.

Ian hésita, scrutant le visage d'Amanda tout en s'exhortant à la prudence. Il ne voulait pas l'effaroucher ou paraître trop indiscret.

— Vous aimez les enfants ?

— Bien entendu. Pourquoi me posez-vous cette question ? Vous trouvez bizarre que je ne propose pas à vos scouts de venir plus souvent ?

— Non, pas du tout. Seulement…

Peut-être était-ce une question trop personnelle ? Cela ne lui ressemblait vraiment pas d'être aussi indiscret.

— Oubliez ça. Je ne voulais pas me mêler de ce qui ne me regarde pas.

— Non, qu'alliez-vous dire ? Avez-vous remarqué quelque chose ?

Le regard d'Amanda avait brusquement changé. Consciemment ou non, elle venait de faire le premier pas vers lui. La curiosité de Ian balaya ses dernières hésitations et il se lança.

— L'autre jour, à la maison de repos, lorsque vous avez aperçu le bébé amené par ce jeune couple…

Il se tut. N'était-il pas en train de tout compromettre en abordant ce sujet ? Après tout, il ne la connaissait pas.

— Y a-t-il quelque chose qui vous gêne avec les enfants ? finit-il par ajouter malgré lui.

Amanda pâlit et un voile de tristesse assombrit un instant son regard.

— Vous êtes très observateur. Je suis étonnée que vous ayez remarqué ma réaction.

Ian se sentit aussitôt comme le pire des goujats.

— Excusez-moi. C'est très impoli de ma part de parler de cela. Je ne cherchais pas à être indiscret, je voulais seulement…

— A propos d'enfants, vous ne croyez pas que vous devriez jeter un coup d'œil sur vos scouts ?

Ian fit la grimace, puis s'affola en voyant briller des larmes dans les yeux de la jeune femme. Voilà qu'il l'avait fait pleurer !

— Amanda, si je vous ai posé cette question, c'est parce que nous pourrions bien avoir quelque chose en commun. Une profonde blessure qui ne cesse de nous faire mal, ici, dit-il en posant son poing sur son cœur.

Amanda ne répondit rien, mais son visage se détendit.

Ian poursuivit. Il ne parlait plus seulement pour elle, mais parce qu'il avait besoin de se confier à quelqu'un. Quelqu'un qui soit susceptible de le comprendre vraiment. Et un je-ne-sais-quoi lui disait qu'Amanda était cette personne-là.

— On dit qu'il est parfois plus facile de confier ses peines à un étranger plutôt qu'à un ami. Vous savez, j'ai un fils quelque part dans la nature. Pas ici, dans les bois, ni parmi mes scouts.

Amanda le dévisagea, l'air incrédule.

— J'ai un fils que j'ai abandonné il y a longtemps. Un enfant auquel je pense sans arrêt, malgré les années qui ont passé. Et je peux vous dire que cela ne sert strictement à rien de cacher sa peine. Et que, parfois, cela ne sert à rien non plus d'en parler avec sa famille, parce qu'elle est trop impliquée dans l'histoire. Mais parler à quelqu'un est de loin la meilleure solution des deux. Je regrette de m'être mêlé de vos affaires. Demain matin à la première heure, je ferai lever le camp à mes gamins.

Il se leva et tourna les talons, prêt à partir.

— Ian ? L'autre solution, quelle est-elle ?

— S'enfoncer dans le chagrin, se mettre à boire, travailler seize heures par jour. Il existe toute une gamme de poisons. Vous avez le choix. Pour ma part, je les ai presque tous essayés. Je n'aime pas voir les gens souffrir. Et je suis persuadé que quelque chose vous ronge, Amanda. Quelque chose qui vous a fait fuir le Colorado. Dites-vous qu'il y a des gens ici à qui vous pouvez parler si vous en ressentez le besoin.

Il allait partir, mais elle le retint une seconde fois.

— Ian ?

— Oui ?

— J'adore les grillades.

— C'est vrai ?

— Absolument.

— Parfait. Je passe vous chercher demain à 17 h 30 ?

— Plutôt vers 18 heures ; je travaille jusqu'à 16 heures.

— D'accord pour 18 heures.

Ian regagna les bois sans plus songer aux serpents. Celui qui l'étouffait depuis longtemps venait subitement de desserrer son étreinte.

Lorsqu'il se retourna, Amanda avait disparu.

4.

Le BJ's Grill était situé à l'extrémité de la ville, au milieu d'un bosquet. Les volutes grises s'échappant de la cheminée de la bâtisse rustique répandaient d'irrésistibles parfums de sarments et de viande grillée. Amanda inspira à fond tout en acceptant l'aide de Ian pour descendre de son pick-up.

— Mmm… Si le repas est ne serait-ce qu'à moitié aussi délicieux, je suis perdue d'avance !

— Vous ne serez pas déçue.

Amanda lui sourit tout en s'efforçant de calmer les battements de son cœur.

Il s'en était fallu de peu qu'elle ne le rappelle pour lui dire qu'elle avait changé d'avis. Mais en revoyant son regard lorsqu'il lui avait parlé de son fils, elle avait reposé le combiné. Peut-être avait-il raison. Peut-être était-ce une bonne chose que de pouvoir se confier à une personne extérieure à toute l'histoire. Même si elle n'était pas sortie avec un homme depuis plus d'un an, il fallait cesser de réagir bêtement. Il ne s'agissait que de passer une soirée avec un ami.

Mais dans ce cas, pourquoi avoir autant soigné son apparence ? Elle avait passé en revue toute sa garde-robe avant de se décider pour un jean et son chemisier préféré. Elle s'était également frisé les cheveux et maquillée légèrement. Ainsi vêtue, chaussée de sandales qui dévoilaient ses orteils aux ongles vernis d'un sage rose corail, elle s'était sentie plutôt bien dans sa peau, jusqu'à ce que Ian se gare devant chez elle. Depuis cet instant, elle avait les entrailles nouées et le trajet en voiture l'avait à peine apaisée.

Vêtu d'un jean, d'une veste de cow-boy et de boots assortis, Ian était irrésistible. Sur la route, il avait retiré sa casquette de base-ball pour chasser une guêpe entrée dans l'habitacle de la voiture. Amanda revoyait encore ses mèches châtains bougeant légèrement et lui donnant envie de les toucher et de les enrouler autour de ses doigts. L'odeur de son shampooing combinée à celle de son eau de Cologne lui rappelait les senteurs du grand air et du cuir neuf, et avait mis tout son corps en émoi.

Sous le porche du restaurant, plusieurs personnes se balançaient dans des rocking-chairs en attendant qu'une table se libère, ou discutaient après un bon repas. Pensées et pétunias roses, blancs, rouges et jaunes garnissaient des suspensions. Un antique mannequin vêtu d'une salopette, d'une chemise de flanelle et d'un chapeau de paille tenait entre ses mains un menu annonçant le plat du jour : « Côtelettes grillées à volonté : $7,99 ».

Amanda se remit à saliver. Puis, se tournant vers Ian qui lui tenait la porte, elle prit la résolution de ne rien commander qui soit susceptible de lui graisser la figure, les mains, et probablement aussi le devant de son beau chemisier couleur pêche.

L'intérieur de l'établissement s'avéra aussi charmant que l'extérieur. Les tables étaient nappées de vichy, la salle éclairée par de vieilles lampes accrochées au plafond ou aux murs de rondins à peine dégrossis. Le restaurant était bondé. Plusieurs personnes firent signe à Ian ou lui adressèrent quelques mots. Après avoir laissé son nom à la réceptionniste, ce dernier emmena Amanda sous le porche, où ils attendirent que l'on vienne les chercher pour les conduire jusqu'à une table en zone non-fumeur.

Après avoir consulté la liste des plats tous plus appétissants les uns que les autres, Amanda choisit un petit pain au porc grillé, accompagné de salade coleslaw et de frites.

— Je crois que je vais prendre le numéro trois, dit-elle en refermant son menu.

— Vous en êtes sûre ? C'est un peu léger pour un dîner.

— Cela me suffit, affirma-t-elle en s'imaginant déjà les doigts collants et le menton gras.

— Eh bien moi, je me lance : je vais prendre des côtelettes.

La serveuse leur apporta leurs apéritifs et nota leur commande. Ian dicta la sienne avec cet accent un peu traînant qui donnait la chair de poule à Amanda. Elle l'aurait écouté parler toute la soirée sans se lasser. Soudain elle s'aperçut, à sa grande honte, qu'elle ne l'avait pas écouté alors qu'il lui adressait la parole.

— Quelqu'un essaie d'attirer votre attention, répéta-t-il en désignant une table derrière elle.

Elle se retourna et sourit en faisant signe à un garçon aux cheveux filasse.

— C'est Delbert Brock. Son cousin Gavin vient tondre la pelouse chez moi chaque semaine. La dernière fois, Delbert est venu avec lui et s'est pris d'affection pour cet écureuil dont je vous ai parlé. Il a passé son temps à le régaler de noisettes. C'est un gosse adorable.

Amanda ne se rendit compte qu'après coup de ce qu'elle venait de dire. Elle avait été heureuse que ces gamins passent un moment chez elle, heureuse de les materner, de leur offrir des rafraîchissements et des biscuits.

Elle aimait les enfants tout autant que Ian. Mais, elle devait bien l'admettre, l'idée d'en avoir un jour un à elle la terrorisait. Peut-être lui semblait-il plus facile de s'occuper de Delbert et de Gavin parce qu'ils étaient presque des adultes. Gavin conduisait déjà ; il transportait sa tondeuse et ses outils de jardinage dans un pick-up. Quant à Delbert, il devait avoir dans les quatorze ou quinze ans.

— Vos scouts seraient peut-être contents de voir Skippy la prochaine fois ? ajouta-t-elle après un silence.

— Nous ne voulons pas abuser de votre hospitalité, répondit Ian en la regardant bien en face.

Brusquement il posa sa main sur la sienne.

A ce geste, le cœur d'Amanda s'emballa, et la jeune femme sentit la panique la gagner. Heureusement, la serveuse arriva avec leur commande et ils attaquèrent leur plat.

C'était un plaisir de voir Ian manger. Il dévora une montagne de côtelettes sans même se salir, en s'essuyant régulièrement les mains sur sa serviette, posée sur ses genoux.

— Je me demande où vous mettez tout ce que vous avalez. J'ai déjà pris deux kilos rien qu'à vous regarder manger !

Ian rougit et s'essuya la bouche avant de répondre :

— Je vous avais dit que l'on se régalait ici. A tel point que j'en oublie les bonnes manières et me gave comme un porc.

— C'était vraiment délicieux, en effet. Je vais devoir rentrer à pied pour éliminer toutes ces calories.

On lui avait servi une portion de viande énorme sur un petit pain tellement gros qu'elle avait fini par le manger à la fourchette faute de pouvoir s'en tirer proprement avec les doigts.

— Je pense toujours comme mon grand-père, dit Ian avec un regard malicieux. Vous n'avez pas à vous en faire pour les calories. Mais si vous avez envie d'une petite promenade digestive, je connais un endroit agréable.

— Très bien. Marché conclu !

Elle s'en voulut aussitôt de son enthousiasme, mais quel mal y avait-il à faire une petite promenade ? Et puis c'était la solution idéale pour terminer cette soirée entre amis.

Ian la conduisit en ville et prit une rue non loin de la maison de repos. Ils débouchèrent devant un parc où des agrès se profilaient dans le jour finissant, et se garèrent sur le parking. L'endroit était désert, en dehors d'un couple avec trois enfants qui donnaient du pain aux canards. Un chien errant qui reniflait le pied d'une poubelle, près d'une table de pique-nique, s'enfuit à leur approche.

— C'est très joli, dit Amanda en évitant de regarder la famille nombreuse. Je suis déjà venue ici, une fois ou deux, pour ma pause déjeuner.

— D'habitude, le dimanche après la messe, c'est noir de monde. Beaucoup de gens viennent pique-niquer ici. Les ados aiment aussi cet endroit. Surtout le samedi soir, ajouta-t-il en plantant ses yeux dans ceux d'Amanda.

Il soutint son regard suffisamment longtemps pour que les pensées de la jeune femme empruntent une direction qu'il valait mieux ignorer. L'avait-il amenée ici dans le même but que les lycéens qui fréquentaient le coin ? Mais à peine avait-elle eu le temps de se poser la question que déjà, Ian se précipitait pour l'aider à descendre de son pick-up comme il l'avait fait précédemment.

— Venez, je voudrais vous montrer quelque chose.

— Vraiment ?

Amanda s'en voulut aussitôt de l'avoir soupçonné de mauvaises intentions. S'il avait voulu profiter d'elle, il en aurait eu mille fois l'occasion la veille.

Il l'entraîna vers le centre du parc, entre les tables de pique-nique et l'aire de jeux, où s'élevait un kiosque. Elle l'avait déjà admiré la dernière fois qu'elle était venue. Inachevé, l'accès en était interdit par un filet orange fluo.

— C'est une personne de ma famille et moi qui l'avons construit.

— Mais… je croyais que vous étiez ferronnier ?

— C'est vrai, mais je suis un touche-à-tout. Nous devrions l'avoir terminé d'ici le week-end prochain.

— Juste à temps pour le repas de quartier.

Elle avait entendu parler par ses collègues de travail de ce pique-nique géant organisé le premier samedi de juin pour fêter l'arrivée prochaine de l'été.

— En effet. Vous viendrez ?

Amanda hésita. Bien que la perspective de passer un moment avec Ian lui plût, l'idée lui sembla quelque peu dangereuse. Et puis elle était venue à Boone's Crossing pour se terrer et se refaire une santé, et non pour se faire des amis.

— Je ne sais pas. Il faut que je réfléchisse.

— En tout cas j'espère que vous pourrez venir. J'ai prévu d'y emmener pépé.

— Je suis sûre qu'il sera enchanté de cette sortie.

Amanda se tourna vers le kiosque pour en admirer le travail compliqué.

— Vous avez fait du beau travail.

— Merci. Je le dirai à ma cousine.

— Votre cousine ?

— Oui. Sami Jo a toujours su se débrouiller avec un marteau et des clous. Elle a épaté plus d'un gros dur.

— Je suis très impressionnée. Il semble que les membres de votre famille aient plus d'une corde à leur arc. Zeb m'a dit qu'il vous aidait à l'atelier de ferronnerie.

— Mon père et lui tenaient l'atelier lorsque j'étais petit. C'est pépé qui m'a appris tout ce que je sais en matière de réparation et de construction. C'est moi qui ai construit cette cage à écureuils pour les enfants. Tout est soudé et d'une solidité à toute épreuve. Ils ne courent aucun danger. J'ai aussi fabriqué l'échelle du toboggan et le portique pour les balançoires.

Amanda ne s'était jamais imaginé qu'il soit aussi doué. Elle le voyait plutôt fabriquant des objets plus ordinaires.

— Les sièges sont-ils en bois ?

— Oui, venez, je vais vous montrer.

Elle le suivit jusqu'aux balançoires. Si le portique était en tube d'acier, les sièges des balançoires étaient en bois. Amanda en caressa la surface polie et peinte de couleurs vives.

— C'est vraiment très doux.

— C'est pour éviter les échardes. Et les chaînes sont juste assez grosses pour soutenir le poids et éviter que les petits doigts ne s'y coincent.

— En tant qu'infirmière, je vous donne la note d'excellence pour la sécurité.

— Vous parlez plutôt comme une maîtresse d'école !

Une soudaine mélancolie s'empara d'Amanda dont le regard se voila.

— Ma sœur enseigne dans une maternelle, au Colorado.

— Vraiment ? Avez-vous d'autres frères et sœurs ?

— Non, il n'y a que Nikki et moi. Et vous ?

— Je suis fils unique. Maman est morte, emportée par un cancer du sein il y a quelques années, et mon père vit en Virginie.

— Désolée pour votre mère. La mort, hélas, n'épargne personne.

— En effet. Et vos parents ? Vivent-ils aussi dans le Colorado ?

— Ils ont divorcé quand Nikki et moi étions toutes petites. J'ignore totalement où se trouve mon père. Quant à maman, elle a vécu un moment dans le Colorado, à l'époque où nous étions au lycée, puis elle s'est à nouveau envolée.

— Pourquoi « à nouveau » ?

— Elle ne reste jamais longtemps en place. Voilà pourquoi Nikki et moi passions les grandes vacances chez Granny. Nos racines étaient chez elle, dans cette maison sur laquelle nous savions pouvoir toujours compter. Maman nous rendait folles à force de déménager à tout bout de champ, nous obligeant à changer d'école. Nous avions à peine le temps de nous faire des amis que nous déménagions à nouveau. Nous avons fini par lui faire promettre de rester au même endroit tant que nous n'aurions pas terminé nos études secondaires. En l'occurrence, c'était au Colorado. Mais dès que nous sommes entrées à la fac, elle s'est envolée pour le Texas. Ensuite, elle s'est retrouvée en Oklahoma et, dernièrement, elle était dans le Montana.

— Dire que je n'ai jamais quitté le Tennessee ! Qu'est-ce qui poussait votre mère à bouger autant, si ce n'est pas indiscret ?

Amanda soupira en se laissant tomber sur le siège de la balançoire et se mit à se balancer doucement.

— Maman est une rêveuse. Un jour, elle nous a emmenées à Nashville dans l'espoir de devenir une star de la *country music*.

— Sans rire ?

— Une autre fois, elle avait décidé de devenir pilote d'avion. Après seulement une leçon de vol, elle s'est aperçue qu'elle n'aimait pas cela. Elle avait toujours du mal à joindre les deux bouts et à nous procurer tout ce dont nous pouvions avoir besoin. Nikki et moi l'aidions de notre mieux en faisant des petits boulots après l'école. Mais à chaque fois, elle s'imaginait que la vie serait plus facile ailleurs, avec un autre travail, et que son avenir était dans l'état voisin. En tout cas, on ne peut pas lui reprocher de ne pas avoir essayé.

— C'est vrai, dit Ian, l'air lointain. Cela a dû être difficile pour elle de vous élever sans votre père.

— En effet.

Pensait-il à son propre fils en disant cela ? Pourquoi l'avait-il abandonné ? Quel âge avait-il à l'époque ? Il était probablement trop jeune pour endosser une telle responsabilité. Ou trop inconscient. L'image de Nikki passa soudain devant ses yeux. Agacée, elle ajouta :

— Quand je pense que certaines personnes abandonnent leurs enfants alors que d'autres donneraient n'importe quoi pour en avoir un !

Ian tourna vivement la tête vers elle, surprise de sa réaction brutale. Amanda se rendit compte alors de ce qu'elle venait de dire. Elle ne pensait qu'à Nikki, à son désir d'enfant et à toutes ces histoires d'adolescentes qui abandonnent leur bébé dans un container à ordures.

— Certaines personnes ne fuient pas leurs responsabilités : elles abandonnent leur enfant parce que cela vaut mieux parfois, répliqua-t-il sèchement.

— Oh, Ian, je ne faisais pas allusion à vous. Je vous assure.

Comment éviter une explication qui pourrait l'amener à évoquer sa situation personnelle ? Elle n'avait aucune envie d'évoquer la perte du bébé ; la blessure était encore trop fraîche. Mais elle ne voulait pas non plus que Ian lui prête des pensées aussi catégoriques sur les parents irresponsables.

— Ce n'est pas grave, reprit-il d'une voix plus douce. Désolé d'avoir réagi ainsi. Je sais bien que vous ne faisiez allusion qu'à votre père.

— Oui, mentit-elle, soulagée.

Après un moment de silence, Ian, qui avait visiblement fait un effort sur lui-même pour paraître plus enjoué, lui proposa de la pousser.

— Me pousser ?

— Oui. A quand remonte la dernière fois que vous avez fait de la balançoire ?

— Je n'en sais rien. Cela fait tellement longtemps que je ne m'en souviens même pas, dit Amanda en riant malgré elle.

— Alors vous avez du retard à rattraper.

Et avant qu'elle n'ait pu émettre la moindre protestation, il tira la balançoire en arrière.

Surprise de se sentir décoller, Amanda laissa échapper un petit cri. Puis Ian la poussa en avant et elle sentit ses cheveux s'envoler derrière elle. Elle éclata de rire, non sans se sentir un peu bête, et lança ses pieds vers le ciel, retrouvant les sensations de son enfance.

Avec une excitation joyeuse, elle se sentit repartir vers l'arrière. Les mains de Ian se posèrent fermement sur son dos, la propulsant vers le ciel. Plus il la poussait haut, plus elle se cramponnait aux chaînes en se laissant gagner par un sentiment de détente et d'hilarité. Ian la poussait, ses cheveux s'envolaient. Comme il la poussait encore plus haut, elle cria de frayeur en sentant la balançoire rebondir au bout de ses chaînes. Soudain il l'arrêta en la prenant par la taille au moment où elle redescendait.

Comme elle ne s'y attendait pas et s'apprêtait à reprendre son élan, elle bascula en arrière. Ian passa ses bras autour d'elle, perdit l'équilibre, et tous deux tombèrent sur le sol.

Ian n'eut que le temps d'arrêter d'une main la balançoire qui revenait vers eux.

La jeune femme se figea en se rendant compte de la posture gênante qui était la leur : leurs membres étaient intimement mêlés et leurs visages à quelques centimètres l'un de l'autre.

— Cela fait une éternité que je n'avais pas fait ça, murmura-t-elle en se sentant rougir.

Ian sentait merveilleusement bon, il était divinement beau. Une impression de chaleur et de solidité émanait de lui. Bien qu'elle n'en ait aucune envie, Amanda se força à se relever.

— Cela me rappelle la balançoire que mon grand-père Satterfield avait fabriquée pour ma sœur et moi quand nous étions petites, dit-elle en époussetant son pantalon.

Ian ramassa sa casquette et Amanda se redressa, feignant d'ignorer de quelle façon il la regardait.

Il s'éclaircit la voix.

— Je ne me rappelle pas avoir entendu pépé parler de votre grand-père.

— C'est sûrement parce que ma grand-mère était veuve depuis très longtemps. Je me souviens à peine de lui. La balançoire qu'il avait suspendue à un arbre est un des rares souvenirs que j'aie de lui.

Mais la jeune femme se rendit compte que Ian n'avait plus la tête aux balançoires ; son regard disait clairement qu'il mourait d'envie de l'embrasser. Elle arrangea ses cheveux en désordre et recula d'un pas afin de ne pas commettre une bêtise. Comme de le laisser l'embrasser, par exemple, ou, pire encore, de l'embrasser la première.

— J'aime bien vos cheveux comme ça, dit-il en l'arrêtant d'un geste.

— Comme ça ? Vous voulez dire en bataille ?

— Non : au vent, naturels. On dirait que vous venez de passer un bon moment.

Amanda faillit s'étrangler. Elle avait cru un instant qu'il allait dire : « que vous venez de faire l'amour ». La situation commençait à lui échapper. Il était temps de reprendre ses esprits, même si elle était parfaitement consciente que seul le fait qu'elle n'ait pas eu de rapport sexuel depuis longtemps lui suggérait ces pensées déplacées.

Le sexe. Encore un sujet de friction avec Mark les derniers temps de leur relation. Il avait déjà de nombreuses raisons d'être contre le fait qu'elle porte l'enfant de sa sœur, mais lorsqu'il avait appris que tout rapport sexuel était exclu tant que la grossesse ne serait pas sûre, il avait explosé. Ce problème avait alors déclenché leur querelle finale et leur séparation.

Elle essaya de chasser ces souvenirs pénibles pour revenir à la réalité.

— Ecoutez Ian, j'ai vraiment passé une excellente soirée avec vous, mais il est grand temps que je rentre chez moi ! lança-t-elle d'une voix qu'elle s'efforça de rendre enjouée.

— Bien entendu, pas de problème. Moi aussi j'ai passé une excellente soirée avec vous.

Il posa une main sur ses reins pour la raccompagner jusqu'à la voiture. C'était un geste amical, sans plus, néanmoins, Amanda sentit un long frisson l'envahir tandis qu'un courant de lave brûlante courait dans ses veines. Le souvenir de ses mains dans son dos lorsqu'il l'avait poussée lui faisait presque regretter que leur relation ne puisse aller plus loin que la simple amitié. Non sans mal, elle se dit qu'elle n'était pas prête pour autre chose et qu'il valait mieux écouter la voix de la raison, même s'il semblait plus agréable d'écouter celle de son cœur.

Et son cœur lui disait que Ian pouvait lui offrir tout ce qu'elle attendait d'un homme. Il était chaleureux, drôle, sexy et attentif aux autres. De plus, elle avait deviné sa souffrance dans son regard, lorsqu'il avait évoqué son fils, ce qui lui donnait à croire qu'il n'avait sûrement pas pris la décision de l'abandonner à la légère. Elle était prête à parier que Ian Bonner ferait un père et un mari merveilleux...

Dès qu'il eut déposé Amanda chez elle, Ian prit le chemin de Shade Tree Manor. Cela valait mieux que la perspective de rentrer chez lui dans une maison vide où il n'y aurait que Cuddles pour l'accueillir. Il risquerait alors de sombrer dans la déprime en se remémorant les efforts considérables qu'il avait faits pour ne pas prendre Amanda dans ses bras. Il lui avait pourtant semblé, un instant, qu'elle ne l'aurait pas repoussé. Mais il avait perdu l'habitude de fréquenter les femmes, et ne savait plus exactement comment interpréter leurs réactions. Mais il était sûr d'une chose : il tenait à mieux connaître la jeune femme et avait bien l'intention d'y parvenir, même si elle voulait s'en tenir à ne sortir qu'occasionnellement avec lui. Il avait tout son temps et n'était pas pressé de trouver la femme de sa vie. Dans ces conditions, pourquoi ne pas consacrer un peu de temps à Amanda ?

Tout en se demandant quels problèmes avaient pu l'amener jusqu'à Boone's Crossing, Ian pénétra dans la maison de repos et salua les infirmières de l'accueil. Amanda lui manquait déjà. Pépé était en train de regarder un western lorsqu'il entra dans sa chambre.

— Salut, pépé. Comment va ?

— Comme sur des roulettes, dit l'intéressé avec son sourire édenté.

Il pressa la main de Ian en le dévisageant d'un œil brillant.

— Alors, comment ça s'est passé ? Je veux connaître tous les détails croustillants de ta soirée avec miss Kelly. Enfin, pas tous, seulement ceux qui ne sont pas censurés !

— Vieux farceur, va. Il ne s'est rien passé et tu le sais très bien.

— On a tout de même le droit de rêver. Je sais bien que tu t'es conduit en gentleman. Du moins, tu as intérêt. A propos de femme, si tu voyais la petite nouvelle qui est arrivée ce matin !

Ian ne put réprimer un sourire. Pépé prenait très à cœur son personnage de coureur impénitent.

— Tiens donc ?

— Mmm… Légèrement atteinte par l'Alzheimer, mais encore très mignonne. Des yeux d'un bleu… Et elle n'a que soixante-douze ans !

— Sans blague ? Mais dis-moi, comment connais-tu son âge ? C'est une chose que n'avouent jamais les dames.

— Oui, mais avec un peu de finesse, on réussit toujours à le deviner. Et à ce propos, j'ai appris que miss Kelly avait vingt-sept ans. Elle est encore suffisamment jeune pour donner à ton père ces petits-enfants qui lui manquent tellement.

— Pépé, nous sommes seulement amis.

— Oui, oui. C'est toujours ainsi, au début. Tu verras bien que j'ai raison. Je parie que vous serez mariés tous les deux pour les feux d'artifice du quatre juillet. Qui sait, vous allumerez peut-être votre propre feu d'artifice !

— Pépé, tu es vraiment incroyable !

— Je suis très sérieux : tu n'as plus vingt ans, et dans un rien de temps tu m'auras rejoint ici, à Shade Tree Manor.

— Je pense que…

— Penser ne suffit pas. Il faut agir. Provoquer les événements, faire en sorte qu'ils aillent dans ton sens.

— Je l'ai invitée à dîner. Que veux-tu que je fasse de plus ?

Soudain morose, Ian se laissa tomber sur un siège près du lit de son grand-père. Comment pépé faisait-il pour toujours deviner ses sentiments les plus secrets ? Tout à l'heure, dans le parc, il aurait volontiers embrassé Amanda. Si seulement elle l'avait encouragé !

— Mon garçon, c'est un bon début, mais il va falloir te donner un peu plus de mal. Ce qu'il faut, c'est la charmer. Que diable, je ne vais tout de même pas te prendre par la main et t'apprendre comment on doit faire sa cour !

— Dis donc, si j'ai bien compris, depuis que tu as jeté ton dévolu sur la jolie petite nouvelle, tu as envie de jouer les marieurs ?

Ian adorait taquiner son grand-père. En outre, cela lui évitait de songer aux choses sérieuses qu'il lui avait dites à propos d'Amanda.

Zeb baissa la voix comme il le faisait dans les rares occasions où il s'apprêtait à jurer.

— Un marieur ? Tu plaisantes. Je suis le grand sorcier, ne l'oublie pas. Et maintenant, écoute-moi bien, fiston.

Et du fond de son fauteuil, uniquement pour faire plaisir à son grand-père, Ian écouta docilement ce que Zeb avait à lui dire. Quelques minutes plus tard, à sa plus grande surprise, il ne se moquait plus du tout du stratagème imaginé par ce dernier. A vrai dire, le plan de Zeb était parfaitement logique et pourrait même s'avérer efficace. Quoi qu'il en soit, cela ne coûtait rien d'essayer, du moment qu'Amanda n'apprenait pas qu'il s'était fait donner une leçon dans l'art de courtiser une femme par un homme en passe d'être le doyen de la ville.

— Et tiens-moi au courant, conclut Zeb en le voyant prêt à partir.

— Bonne nuit, pépé.

Ian sortit de l'établissement, de nouveau plein d'espoir.

5.

Un bruit de verre cassé tira Amanda de son profond sommeil. Le cœur battant, elle se leva d'un bond, prête à saisir sa bombe lacrymogène. Au bout d'un moment, elle se rendit compte que le responsable de sa frayeur n'était pas un cambrioleur, mais une simple branche malmenée par l'orage.

A la lueur d'un éclair, elle aperçut en effet une branche d'érable qui, en se cassant, s'était enfoncée de moitié dans la fenêtre de sa chambre.

— Voilà bien ma chance !

Amanda rabattit ses couvertures et enfila ses baskets de peur de marcher sur des éclats de verre. Une fois sa lampe allumée, elle put en voir des morceaux éparpillés çà et là sur le tapis. Quant à la pluie, elle pénétrait violemment par rafales, inondant le sol et le rocking-chair.

Après avoir éloigné ce dernier de la fenêtre, Amanda se précipita dans la cuisine, où elle avait stocké ses cartons de déménagement vides. Trop heureuse d'avoir tardé à les porter à la déchetterie, elle en prit un ainsi qu'un rouleau de scotch et une pile de serviettes-éponges, et rapporta le tout sur son lit. Mais tout d'abord, il fallait sortir cette branche de là.

Vêtue d'une veste à capuche, elle sortit en courant. Lorsqu'elle eut enfin retiré la branche et réparé la vitre tant bien que mal de l'intérieur, elle était complètement trempée. Après s'être séchée, avoir ramassé les débris de verre et épongé le tapis, elle consulta le réveil : 3 h 30. L'ennui, c'est qu'elle était maintenant parfaitement réveillée. Elle ramassa en grommelant les derniers éclats de verre coincés dans le tapis et réussit à se couper au doigt. N'ayant que des pansements décorés pour enfants comme elle en avait toujours sur elle lorsqu'elle travaillait à Deer Creek, elle en choisit un orné d'un Snoopy. Il faudrait bien se contenter de cela.

Lorsque la pièce fut enfin remise en ordre, elle se recoucha avec un livre, dans l'espoir de se détendre et de se rendormir. Malheureusement, des souvenirs de la veille et de la façon dont Ian l'avait poussée sur la balançoire lui revinrent en force. A 5 heures, abandonnant tout espoir de retrouver le sommeil, elle se doucha, s'habilla et sortit pour constater l'étendue des dégâts. Des branches d'érable jonchaient la pelouse, les eaux du ruisseau avaient fortement enflé. Néanmoins, les dommages se limitaient à sa vitre brisée et à sa moustiquaire défoncée. Quant à sa voiture, elle l'avait échappée belle.

Autrefois, on garait les voitures dans l'abri de jardin aux murs de bois patinés par le temps. Mais pour le moment, cet abri était encombré de toutes sortes de vieilleries entassées là par Granny au fil des années. A son arrivée, Amanda n'avait été aucunement surprise de constater que sa mère n'avait pas eu le courage d'y faire un tri, bien que sa sœur et elle lui aient proposé leur aide après l'enterrement. Elle allait donc devoir s'y attaquer toute seule. Elle préférait savoir sa voiture à l'abri. Et peut-être que trier les vieilleries de Granny l'occuperait plus utilement que de rêver de Ian dès qu'elle avait une minute de repos.

Malheureusement, cela ne serait pas aussi facile que ça... En arrivant à la maison de repos elle aperçut la voiture de Ian sur le parking, et son cœur bondit dans sa poitrine. En allant prendre son café, elle ne vit ni Ian ni son grand-père dans la salle de séjour. Après quelques instants, n'y tenant plus, elle se rendit jusqu'à la chambre de Zeb.

Ce dernier était installé dans son fauteuil roulant, les jambes recouvertes d'un patchwork multicolore.

Ian était assis près de lui.

— Bonjour, dit-il, un sourire dans les yeux.

Son visage et son regard indiquaient clairement que lui non plus n'avait pas oublié la bonne soirée qu'ils avaient passée ensemble la veille.

— Bonjour, Ian. Bonjour, Zeb. Comment vous sentez-vous aujourd'hui ?

Zeb, qui avait exceptionnellement mis son dentier, exhiba un gâteau à la cannelle recouvert de sucre glace.

— Je vois mal comment je pourrais être encore plus heureux, à moins de me dédoubler ! Le fiston n'arrête pas de me gâter. Mais si vous voulez mon avis, la seule vraie douceur qui l'intéresse, c'est vous.

— Pépé ! s'insurgea Ian.

Puis, se tournant vers Amanda :

— Il parle pour lui, vous savez. Je crois qu'il est en train de perdre la tête.

Amanda sourit pour tenter d'ignorer la bouffée de chaleur qu'avaient provoquée en elle les propos de Zeb.

— Si vous continuez à lui apporter à manger, il va falloir prévoir un fauteuil roulant plus large.

Elle adressa un clin d'œil à Zeb en tapotant son épaule.

74

— Bon, il faut que j'aille travailler, dit Ian. J'étais juste passé dire bonjour… Joli pansement que vous avez là.

— C'est tout ce j'avais sous la main dans l'urgence.

— Que vous est-il arrivé ?

Ian la regarda au fond des yeux, la troublant encore davantage.

— L'orage de cette nuit a projeté une branche à travers la vitre de ma chambre. Je ne conseillerais à personne de ramasser des éclats de verre à 3 heures du matin. Je crois que je n'étais pas bien réveillée.

— A travers votre vitre ? intervint Zeb, mine de rien. Donc, vous allez devoir la remplacer ?

— Connaîtriez-vous un bon vitrier ?

Amanda regretta aussitôt sa question. Ian ne lui avait-il pas dit qu'il savait tout faire ? Allait-il penser qu'elle cherchait un prétexte pour faire appel à lui ?

— Le cadre de la fenêtre a-t-il été endommagé ?

— Non, seulement la vitre et la moustiquaire. C'est une de ces vieilles fenêtres à guillotine, à peu près de cette taille-là, l'informa Amanda en écartant les mains.

— J'ai un oncle à Londres qui est vitrier.

— Londres au Kentucky, pas en Angleterre, précisa Zeb.

— Parfait. Peut-on le trouver dans l'annuaire ?

Zeb se racla la gorge et échangea un bref regard avec son petit-fils.

— Oui, dit Ian. Mais il faut parfois attendre longtemps avant qu'il ne vienne. Il est associé avec son frère, et tous deux ont des clients dans une bonne partie du Kentucky et du Tennessee. Mais si vous voulez, je peux passer chez vous prendre les mesures et aller chercher la vitre correspondante. Cela ne devrait pas être trop difficile à installer.

Zeb hocha la tête en signe de satisfaction, ce qui lui valut un regard réprobateur de Ian.

— Je ne voudrais pas vous déranger, protesta mollement Amanda.

Vous ne me dérangez pas du tout. Dès que l'orage sera calmé, je peux passer chez vous prendre les mesures.

— Vraiment ?

— Puisqu'il vous dit que cela ne le dérange pas, insista Zeb avec un clin d'œil. A votre place, je ne refuserais pas d'être dépannée gratuitement. Vous n'avez pas encore fait assez de frais avec votre déménagement ?

— Pépé, enfin ! Tu as perdu ton savoir-vivre en même temps que tes dents ou quoi ?

Mais le regard affectueux de Ian à son grand-père atténuait son reproche.

— Fiston, je ne cherchais pas à être insultant mais amical. Tu n'avais pas l'intention de lui faire payer ton intervention, j'espère ?

— Oh, mais il n'est pas question de...

— Bien sûr que non...

Elle avait protesté en même temps que Ian et il lui fit signe de continuer la première.

— Il n'est pas question que je vous fasse travailler sans vous rémunérer.

— C'est inutile. Payez la vitre si vous voulez, mais je vous la poserai pour rien. Je ne fais jamais payer les amis.

Que répondre à cela ? Elle était dans le Tennessee, et l'entraide et la convivialité étaient ancrées dans les coutumes. De plus, elle ne voulait surtout pas vexer Zeb.

— Entendu. Mais je ne serai pas chez moi avant 16 heures. Si vous avez besoin d'aller voir à l'intérieur, il y a une clef cachée dans une poterie sous la haie de lilas, près de l'abri.

Amanda savait qu'elle pouvait divulguer cette cachette à Ian. Elle avait suffisamment confiance en lui pour lui confier sa clef et sa maison.

Mais pas son cœur...

Une fois de plus, son pouls s'emballa lorsqu'il posa les yeux sur elle.

— Je m'en occupe dès que l'orage se sera éloigné.

— Rien ne presse. Merci.

Sur ces mots, Amanda quitta précipitamment la chambre.

Après un orage qui avait duré presque toute la journée, le soleil fit une timide percée à travers les nuages lorsque Amanda prit sa voiture pour rentrer chez elle. En s'engageant sur Oak Hollow Road, elle scruta de loin les abords de sa maison pour tenter d'apercevoir le véhicule de Ian. Son 4x4 était bel et bien là. De nouveau le doute s'imposa à elle : était-ce une bonne idée d'avoir accepté son aide ?

Mais à Boone's Crossing, on s'entraidait entre voisins. Néanmoins, il fallait éviter que Ian se fasse des idées et s'imagine qu'elle cherchait à le séduire. Mais il ne pouvait penser des choses pareilles. Ne lui avait-elle pas clairement fait comprendre qu'elle ne recherchait qu'une amitié ?

En se garant devant la remise, elle l'aperçut dans sa chambre, devant la fenêtre ouverte, et son cœur se mit à battre. Afin de retarder au maximum son entrée dans la maison, elle alla constater une fois de plus les dégâts infligés par l'orage à l'érable de Granny. C'était là qu'était accrochée la balançoire autrefois. Non sans tristesse, elle remarqua que cet arbre vieillissait et que certaines de ses branches étaient déjà mortes. C'était une de ces branches mortes, entraînant avec elle une partie d'une branche encore verte, qui avait traversé la fenêtre, laissant des brindilles, des feuilles, des fragments d'écorce partout sur la pelouse.

— Quels dégâts, pas vrai ? lui cria Ian.

— On peut le dire. Comment se présente cette fenêtre ? s'enquit-elle en s'approchant.

— Bien. J'ai retiré les morceaux de verre qui étaient restés accrochés. Je préférerais poser la nouvelle vitre d'abord, au cas où il pleuvrait encore. Ensuite, je m'occuperai de la moustiquaire.

— Voilà qui me convient tout à fait.

Comme Ian travaillait dans sa chambre, Amanda alla se changer dans la salle de bains, non sans ressentir un léger malaise de le savoir dans une pièce voisine. Afin de mettre une certaine distance entre elle et lui, elle se rendit dans le jardin. Munie d'un grand sac plastique, elle entreprit de ramasser tous les débris éparpillés sur la pelouse. Ian avait déjà entreposé les plus grosses branches près de la remise. Qu'allait-elle en faire ? Peut-être Gavin pourrait-il l'en débarrasser la prochaine fois qu'il viendrait tondre ?

Certes, Ian aussi possédait un pick-up. Mais était-il bien sage de solliciter une nouvelle fois son aide ?

— Je peux vous aider à ramasser le reste, si vous voulez.

Sans bruit, Ian était arrivé derrière elle, portant le cadre de la fenêtre. Absorbée par ses réflexions, elle ne l'avait pas entendu approcher. Elle rougit comme s'il pouvait deviner ses pensées.

— Merci, dit-elle, pour rester dans le vague.

— Vous permettez que je m'installe dans la remise ? J'ai besoin de mettre ce cadre à plat pour le mastiquer et poser la vitre.

— Bien sûr. Si toutefois vous parvenez à trouver suffisamment de place. Ne faites pas attention au désordre. Les affaires de Granny sont encore là.

— Pas de problème.

Dès qu'elle ouvrit la porte, une odeur de moisi et de renfermé les prit à la gorge.

— Si je parviens à ouvrir la fenêtre, vous aurez un peu d'air frais pour travailler... Du moins si vous trouvez la place de travailler.

La remise, en effet, était encombrée de cartons et de vieux objets entassés partout. Ici, une vieille tête de lit, là, un vieux cheval à bascule avec lequel elle se rappelait avoir joué, petite. Il y avait bien un établi juste sous la fenêtre, mais des cartons empilés dessus bloquaient toute la lumière. Amanda entreprit de les déplacer.

— Je vais vous aider, proposa Ian en se précipitant.

En attrapant un carton, Amanda heurta un objet rangé sous l'établi.

— Aïe !

Elle se pencha pour voir contre quoi elle s'était cognée, tout en se massant la jambe.

— Il y a des cochonneries partout et...

Elle n'acheva pas sa phrase. Ian venait de retirer un autre carton et la lumière qui pénétrait soudain dans la pièce révéla l'objet en question.

Retenant son souffle, Amanda se baissa pour le toucher. Après en avoir caressé amoureusement les contours polis, elle extirpa le berceau de sa cachette et, la gorge nouée, s'agenouilla pour l'admirer. C'était son grand-père qui l'avait fabriqué, tout en merisier. Sur la tête et le pied, il avait sculpté des lapereaux, des bébés écureuils, des canetons. Toutes les surfaces avaient été intégralement poncées pour être douces au toucher. Puis il l'avait verni avant de l'offrir à Granny pour la naissance de leur premier et unique enfant, la mère d'Amanda et de Nikki.

Bien des années plus tard, Granny y avait bercé ses deux petites-filles lorsqu'elle les gardait, pendant que leur mère, quelque part Dieu sait où, courait après des rêves qu'elle jugeait plus importants que ses filles.

Amanda avait complètement oublié ce berceau. Ou plutôt, elle en avait jeté le souvenir aux oubliettes. Elle avait des photos qui la montrait couchée dans ce berceau, tandis que Nikki, âgée de trois ans, la berçait tout en souriant fièrement au photographe. Autrefois, sachant que Granny tenait à ce que cet objet reste dans la famille, elle avait pensé y bercer un jour ses propres enfants. Granny espérait que la tradition se perpétuerait, que ce berceau se transmettrait de mères en filles.

Lors de la fête organisée par les amies de Nikki pour célébrer la naissance prochaine de la petite Anna, on avait parlé accessoires de puériculture. Nikki, à cette occasion, avait évoqué ce berceau en merisier, disant qu'elle allait demander à sa mère s'il était toujours chez Granny. Toutes les invitées s'étaient extasiées devant cette tradition adorable.

Peu après, Amanda quittait la fête sans se douter du tour horrible que le destin allait lui jouer quelques minutes plus tard.

Soudain, l'atmosphère renfermée de la remise lui sembla irrespirable. Elle commença à étouffer. La panique s'empara d'elle, avec son habituelle poussée d'adrénaline, sa sensation de peur paralysante et de désespoir qui s'emparait de tout son corps. Elle se mit à trembler et ne se rendit compte qu'elle pleurait que lorsqu'une larme tomba sur sa main agrippée au rebord du berceau.

— Amanda ? murmura Ian en posant une main sur son épaule. Que se passe-t-il ?

Il s'accroupit près d'elle, l'air inquiet.

Refoulant un sanglot, elle se détourna, se couvrant la bouche et se mordant la lèvre. Elle devait absolument contrôler sa douleur, respirer normalement. Elle ne pouvait pas craquer devant Ian, un homme qu'elle connaissait à peine.

— Amanda, répéta-t-il en la secouant doucement par les épaules, l'encourageant à le regarder.

Comme elle se relevait en s'appuyant contre lui, elle se retrouva dans ses bras sans savoir comment, le corps secoué de sanglots qu'elle ne parvenait plus à contenir malgré ses efforts.

Ian lui caressa affectueusement le dos et déposa un baiser dans ses cheveux. Elle laissa tomber sa tête contre son épaule et il se mit à lui masser la base du cou.

— Allons. Si vous avez besoin de vous confier, je suis prêt à tout entendre. Venez, sortons d'ici. Vous avez besoin de respirer un peu d'air frais.

Il l'entraîna jusqu'à la haie de lilas qui ombrageait la pelouse. Le bourdonnement hypnotique des abeilles résonnait dans la tête d'Amanda comme une douleur lancinante. Elle se laissa tomber sur le banc de bois adossé à la remise et se força à respirer calmement.

Soudain, les mots prononcés ce jour-là par Nikki, à l'hôpital, lui revinrent nettement.

« Le bébé n'a pas survécu. »

Et sur son visage, une telle tristesse, un tel désarroi...

C'était une petite fille. Fille ou garçon, n'importe quel bébé aurait fait de Nikki la plus heureuse des femmes. Mais au fond d'elle-même, Amanda savait que sa sœur désirait par-dessus tout une fille. Rien ne pourrait jamais atténuer ou effacer cette perte. La culpabilité pesait sur Amanda comme une chape de plomb. La peur la suivait de près. Elle craignait de ne plus pouvoir avoir d'enfant. Le simple fait de l'imaginer lui faisait peur ! Et s'il se passait quelque chose ? Si, une nouvelle fois, les choses tournaient mal ? Ces questions la hantaient sans relâche.

Cesseraient-elles jamais de la hanter ?

— Excusez moi, murmura-t-elle en essuyant ses larmes. Je ne sais pas ce qui m'a pris.

Ian s'assit près d'elle.

— Vous n'avez pas à vous excuser. Mais il est évident que quelque chose vous tracasse, Amanda.

Puis il attendit sans rien dire, le regard plein de questions.

Amanda faillit continuer à lui mentir, en inventant une raison quelconque à sa réaction. Mais le besoin de s'ouvrir à quelqu'un fut le plus fort.

— J'ai perdu un bébé il y a quelques mois.

Devant la tristesse qu'exprimait le regard de Ian, elle dut lutter pour garder son calme.

— Je suis vraiment désolé…

Des témoignages de sympathie, elle en avait entendus des centaines, à l'hôpital, lors de l'enterrement. Aucun ne pouvait changer quoi que ce soit. Toute la gentillesse et la compassion du monde ne ramèneraient pas la petite fille de Nikki.

— C'est pour cela que vous êtes venue vous installer ici ?

— Oui. Je croyais pouvoir fuir mon chagrin. Mais cela ne m'a guère aidée.

Après un silence, Ian reprit :

— Et… le père ? Etes-vous toujours ensemble ?

— Je n'aurais jamais accepté votre invitation s'il y avait eu quelqu'un dans ma vie !

82

— Oh... oui... Bien sûr. Mais je me disais seulement que... peut-être... vous étiez séparés ou quelque chose comme ça.

— Non. J'ai été fiancée une fois, mais c'était il y a longtemps.

— Je vois.

Comment pouvait-il voir quoi que ce soit ? Il la prenait probablement pour une fille un peu dispersée, fiancée à l'un, enceinte de l'autre, et n'hésitant pas à sortir avec lui par-dessus le marché.

— Ce n'est pas du tout ce que vous imaginez.

Elle n'aurait jamais dû lui parler. Ce qui était arrivé à Nikki, Cody et elle ne regardait personne d'autre.

— Mais je ne m'imagine rien du tout. Je ne me permettrais pas de vous juger, Amanda. Beaucoup de gens ont des enfants sans être mariés.

A son triste sourire, elle devina qu'il songeait à son propre passé, à cet enfant qui était le sien. Il lui avait dit l'avoir abandonné il y a longtemps. Mais combien d'années exactement ? Etait-ce un adulte à présent ? Ressemblait-il à son père ?

Anna, elle, ne grandirait jamais. Jamais elle n'apprendrait à marcher, à parler...

Amanda refoula le chagrin qui menaçait une fois de plus de l'étouffer.

— En tout cas, je ne suis pas comme ces gens. Avec ou sans mariage, je ne veux plus jamais avoir d'enfant !

6.

Ian eut l'impression de prendre une douche froide. Quelque chose en lui se brisa, qu'il n'aurait su expliquer clairement. Mais le terrible aveu d'Amanda le toucha. Il chercha désespérément quelque chose à lui dire.

— Vous changerez peut-être d'avis lorsque la douleur se sera estompée.

Mais elle secoua la tête d'un air farouche, le visage crispé par la douleur, des larmes plein les yeux.

— Non. Jamais. C'est tellement injuste…

Ian lutta contre l'envie de la prendre dans ses bras.

— Vous ne devez pas vous sentir coupable, Amanda. Parfois, les choses se produisent sans que l'on n'y puisse rien.

Dieu sait combien la culpabilité l'avait accablé, lui aussi, presque au point de l'anéantir.

Amanda sembla surprise, comme si elle s'étonnait qu'il ait deviné le sentiment de faute que cachaient ses paroles.

— Je le sais bien, mais je continue à croire que je ne redeviendrai jamais la même.

— Bien sûr que si. Cela demandera du temps. Quelques mois ne suffisent certainement pas.

Dans son cas précis, seize ans n'avaient pas suffi. La douleur s'était certes atténuée, mais elle était toujours là.

Son fils à lui n'était peut-être pas mort, mais il l'avait perdu tout de même.

— Vous avez raison, dit Amanda en ébauchant un sourire. Désolée de m'être laissée aller devant vous. Rentrons débarrasser l'établi. Ça va aller maintenant.

— Je m'en charge. Vous devriez rester ici, prendre un peu l'air.

— D'accord, si cela ne vous dérange pas. Je vais retourner nettoyer la pelouse.

— Et moi, je vais m'occuper de cette fenêtre avant qu'il ne se remette à pleuvoir.

Il la regarda s'éloigner, pensif, et regagna l'intérieur de la remise en sachant par avance qu'il ne cesserait de penser à ce bébé qu'elle avait perdu. Il imaginait sans peine, lui qui souffrait encore de l'abandon de son fils, le désarroi de la jeune femme.

Mais une autre chose l'avait bouleversé : son refus d'avoir des enfants. Il aimait beaucoup Amanda et ressentait pour elle une attirance de plus en plus forte. Il commençait même à songer que pépé avait raison et qu'il était temps, pour lui, de se chercher sérieusement une compagne avec laquelle fonder une famille. Or, plus il fréquentait Amanda, plus il se disait qu'elle était peut-être la femme de sa vie. En dehors de l'attirance physique, c'était une personne qu'il désirait connaître mieux, exactement comme le lui avait conseillé son grand-père.

« Trouve des prétextes pour être avec elle le plus souvent possible et la nature ne tardera pas à faire le reste, tu verras », lui avait dit le vieil homme le soir où il était passé le voir après avoir dîné avec Amanda.

Ces conseils sages et pleins de bon sens avaient fait renaître l'espoir en Ian. Aussi avait-il décidé de les suivre lorsque l'occasion de réparer la fenêtre d'Amanda s'était présentée. Il avait pensé passer le reste de la journée avec elle. Peut-être même l'inviter une nouvelle fois à dîner. Mieux : il espérait qu'elle l'inviterait à dîner chez elle. Il s'imaginait déjà assis près d'elle sous le porche, comme l'autre soir, au crépuscule, regardant les étoiles. Mais cette fois, il avait prévu de lui voler un baiser !

Il s'était représenté la scène tout au long de la journée, retouchant un détail là, fermant les yeux pour mieux se mettre dans l'ambiance.

Il se sentait comme un gamin amoureux !

Et voilà qu'en quelques mots, Amanda venait d'anéantir tous ses rêves.

Il soupira en contemplant le berceau. Pourquoi y avait-il toujours un problème avec les femmes qu'il fréquentait ? Aucune ne s'était avérée être celle avec laquelle il désirait passer le reste de sa vie. Certes, il ne cherchait pas avec acharnement, mais cela faisait pourtant partie de ses projets. Il s'imaginait très bien avoir deux ou trois enfants. Et cette fois, lorsqu'il aurait un enfant, il ferait les choses dans les règles.

Or, si Amanda n'en voulait pas, toute relation avec elle était vouée à l'impasse pour lui. A quoi bon perdre son temps avec elle s'ils étaient en désaccord sur un sujet aussi important que les enfants ? Evidemment, il était désolé qu'elle ait perdu son bébé. En outre, il ne pouvait pas supprimer ses sentiments pour elle d'un claquement de doigts. Il l'avait trouvée attirante dès le début et aimait la façon dont elle s'occupait de pépé et des autres résidents. Comment une femme aussi maternelle pouvait-elle refuser d'être mère ?

Mais tout cela ne le regardait pas. Après avoir enfin débarrassé l'établi, il se mit en devoir de remplacer la vitre de la fenêtre tout en se disant qu'il ne devait plus penser à elle. Il allait finir sa réparation, lui dire au revoir et s'en tenir là. Et surtout essayer de l'éviter dans les prochains jours.

Cependant, quand il eut fini son ouvrage et réparé la moustiquaire, au premier regard qu'il jeta sur Amanda, toutes ses bonnes résolutions s'envolèrent. Elle portait un short en jean, un T-shirt bleu pâle, et une coccinelle s'était posée sur sa queue-de-cheval. Cet insecte lui donnait un air frais et innocent. Songer à ne plus la voir relevait du supplice. Rien ne l'empêchait de rester en termes amicaux avec elle.

De plus, son estomac se mit à gargouiller avec un bruit effarant.

— Vous avez faim ? demanda-t-elle en souriant.

De nouveaux gargouillis l'empêchèrent de prétendre le contraire.

— On dirait bien que oui. La plupart du temps, je ne fais pas attention lorsque je travaille. Mais mon estomac ne manque jamais de me rappeler à l'ordre si je saute un repas.

— Il ne faut jamais sauter un repas ! affirma-t-elle sur un ton professionnel.

Incapable de résister, Ian s'approcha d'un pas.

— Vous savez que vous êtes drôlement mignonne quand vous jouez les infirmières ? Et j'aime beaucoup ce que vous mettez dans vos cheveux, ajouta-t-il en capturant la coccinelle avec précaution.

— En tout cas, cela ne manque pas d'originalité, renchérit Amanda en esquissant un sourire.

Elle laissa la coccinelle passer de la main de Ian sur la sienne, puis la posa délicatement sur une feuille de lilas.

En la voyant repousser les mèches qui retombaient sur ses yeux, Ian dut lutter contre l'envie de l'arrêter dans son geste. Elle avait une beauté naturelle que bien des femmes n'égalaient parfois que par le maquillage. Il aimait son humour, sa sensibilité envers les êtres vivants. Pourquoi fallait-il qu'elle ne veuille pas d'enfant ?

— Cela vous plairait-il de retourner au BJ's ? demanda-t-il malgré lui.

Sortir ensemble était-il vraiment le meilleur moyen de rester de simples amis ?

— Merci, mais je suis vraiment fatiguée. Je pensais plutôt préparer quelque chose de simple et rapide, si cela vous convient.

Ian sourit. Un nouvel espoir naissait en lui.

— Je ne refuse jamais un repas maison.

— Vous savez, cela n'aura rien d'extraordinaire. Je ne passe pas beaucoup de temps à cuisiner.

Il la suivit dans la cuisine et la regarda s'affairer. Son cœur ne tenait pas en place. Il aurait aimé l'aider à préparer le repas, bien que ses talents en la matière soient assez limités. Mais il brûlait de savoir ce qu'il ressentirait en partageant cette tâche quotidienne avec elle.

Toutefois, il se contenta de se laver les mains et de la regarder préparer croque-monsieur, salade de pâtes et concombres marinés aux oignons. A sa demande, il sortit du réfrigérateur une carafe de thé sucré et en remplit deux verres garnis de glaçons. Une fois leurs assiettes dressées, ils sortirent manger sous le porche.

Malgré lui, les paroles de pépé l'obsédaient : « La nature ne tardera pas à faire le reste, tu verras. »

Malgré lui aussi, il rêvait toujours de l'embrasser, ce qui n'était pas le meilleur moyen de renoncer à elle.

— Avez-vous pris une décision concernant le repas de quartier de ce week-end ? Vous pouvez venir avec pépé et moi si vous voulez.

« Arrête, ce n'est pas la femme de ta vie. Pourquoi prolonger ce supplice ? » lui cria aussitôt la voix de la raison.

— Je ne sais pas. Je suis venue ici pour être seule. Pour faire le point.

— Je comprends parfaitement, mais être seule en permanence n'est pas très drôle. Allons, venez ! Vous passerez un bon moment et personne ne vous mangera.

Sauf lui, peut-être… Il aurait volontiers mordillé la peau parfumée d'Amanda…

Après une dernière hésitation, elle répondit enfin.

— D'accord. Je crois que j'irai.

Soulagé, Ian lui dit la première chose qui lui venait à l'esprit, de peur que ses désirs ne l'entraînent trop loin.

— Parfait ! Pépé sera ravi de vous voir. Il aime le grand air et la ferme lui manque. Je sais que le fait de ne pas vaquer à ses occupations habituelles le contrarie plus qu'il ne le laisse paraître. Prendre l'air lui fera du bien.

— Dans ce cas, je vais lui annoncer dès demain que nous allons sortir ensemble, lui et moi.

Amanda eut un sourire tellement chaleureux en disant ces mots que Ian faillit en oublier toutes ses bonnes résolutions.

Il sentit son cœur se serrer. Etre en sa compagnie serait une terrible épreuve pour lui, et se détacher d'elle une tâche difficile. Mais cesser brutalement de la voir, alors qu'il commençait à peine à la découvrir, était tout simplement inhumain.

— Vous allez lui faire un grand plaisir, affirma-t-il en s'efforçant de prendre un air enjoué.

Puis il mordit dans son croque-monsieur et la regarda manger. En la voyant prendre de petites bouchées avec des manières délicates et féminines, il se mit à rêver malgré lui qu'il goûtait ses lèvres…

Etait-ce vraiment le genre de choses que faisaient ensemble de simples amis ?

De peur que ses pensées ne finissent par se lire sur son visage, il se concentra sur son assiette. De peur aussi de céder à la tentation de la prendre dans ses bras et de lui enseigner une nouvelle façon de goûter les joies du grand air.

A l'aube du dimanche, la journée s'annonçait chaude et ensoleillée. Lorsque Amanda eut installé Zeb à l'ombre sous un arbre, il faisait presque 27° C.

— Je suis ravi, dit le vieil homme en lui tapotant la main. Merci de me permettre de me joindre à vous alors que vous sortez avec mon petit-fils.

— Allons, Zeb, vous savez bien que c'est avec vous que je sors aujourd'hui, rétorqua Amanda en lui retournant son clin d'œil.

Puis elle aperçut Ian qui venait vers eux.

En le voyant sourire, Amanda regretta que sa vie soit ce qu'elle était aujourd'hui. Pourquoi n'avait-elle pas rencontré Ian quelques années plus tôt ?

— Il faut arroser ça ! s'écria Zeb en brandissant sa bouteille d'eau. Ce n'est pas tous les jours qu'une jolie femme a envie de sortir un vieux bonhomme auquel il reste encore moins de dents que de cheveux sur la tête.

Puis, se penchant vers elle, il ajouta en chuchotant :

— Surtout, ne dites à personne que j'ai remplacé l'eau de cette bouteille par de la vodka.

— N'ayez crainte, votre secret sera bien gardé ! murmura Amanda avant d'éclater de rire.

Puis elle lui recouvrit les jambes de ce patchwork qu'il avait refusé de laisser dans sa chambre malgré la chaleur.

— Maintenant dites-moi ce que vous aimeriez manger.

Le repas de quartier battait déjà son plein. Les barbecues flambaient, les tables pliantes étaient alignées bout à bout, couvertes de toiles cirées à carreaux et de récipients multicolores en plastique. Tout en garnissant une assiette pour Zeb, Amanda remarqua la présence d'un certain nombre des scouts de Ian. Elle fit un petit signe à Troy Stoakes, le gamin qui s'était introduit dans sa cuisine. Aussitôt, celui-ci se lança avec ses copains dans des messes basses accompagnées d'éclats de rire.

Regarder les enfants s'amuser dans le parc l'emplissait à la fois de plaisir et de tristesse. Elle adorait les enfants et souhaitait de tout son cœur que Ian ait raison. Avec le temps, peut-être, avoir un enfant cesserait-il de lui faire peur. Mais comment oublier ce qu'il était advenu de la petite Anna ?

Ian et Zeb semblaient connaître tout le monde. Bientôt, ils se mirent à discuter avec une foule de gens, et Amanda se retrouva seule avec ses pensées. C'était la dernière fois qu'elle fréquentait Ian. Sa fenêtre réparée, elle devait désormais se limiter avec lui à des relations de pure politesse dans le cadre de la maison de repos si elle voulait s'éviter des ennuis. Car il était bien trop séduisant pour qu'elle lui résiste longtemps.

— Excusez-moi, seriez-vous Amanda Kelly ?

La jeune femme qui venait de l'aborder portait un short et un marcel. Elle avait de longues jambes musclées et hâlées, comme si elle travaillait fréquemment au grand air.

— Oui, c'est bien moi.

— Ian m'a dit que vous étiez arrivée récemment dans cette ville. Je suis Samantha Jo Turner, sa cousine. Mes amis m'appellent Sami Jo, se présenta la jeune femme en calant ses lunettes de soleil dans sa crinière de boucles brunes.

Amanda ne fut aucunement surprise de sa poignée de main énergique. Il n'était pas étonnant que la jeune femme soit dans une telle condition physique, puisqu'elle exerçait le métier de menuisier.

— Ravie de faire votre connaissance. J'ai appris que ce kiosque avait été construit par Ian et vous-même ?

— Exact.

Elles bavardèrent un moment.

— Dites-moi, vous n'auriez pas vu un gamin plutôt joufflu, avec des taches de rousseur ? Il traîne toujours avec un petit blond.

— Vous voulez parler de Troy Stoakes ? Le petit qui fait partie des scouts de Ian ?

— Oui, c'est lui. Sa mère le cherche. J'ai demandé à Ian, mais ni lui ni Neil, le chef scout, ne l'ont vu.

— Je l'ai aperçu tout à l'heure, avec son camarade. Ils jouaient sur l'aire de jeu, là-bas.

— Dans ce cas, ils ne doivent pas être bien loin. Jacob et lui ne peuvent pas se passer de poulet frit et de hot dogs.

Quelques minutes plus tard, une autre jeune femme vint à leur rencontre.

— Excusez-moi de vous interrompre, mais je n'ai toujours pas retrouvé Troy. Tu l'as vu, Sami Jo ?

— Non.

— Je me demande où il peut bien être.

Les deux femmes semblaient très inquiètes.

— Il se sera peut-être éloigné en jouant, suggéra Amanda.

Mais elle eut beau regarder autour d'elle, la foule était telle qu'il était impossible d'y repérer un enfant en particulier.

Une petite fille avec des couettes brunes, vêtue d'une salopette-short, gravit tout essoufflée les marches du kiosque.

— Maman, Sally dit qu'elle a vu Troy et Jacob tout là-bas, dans les arbres.

— Oh non ! soupira sa mère. Pourvu qu'il ne soit pas allé là ! Depuis qu'il est scout, il est toujours fourré dans les bois.

— Peut être qu'il s'est fait piquer par un serpent, dit la fillette en faisant la grimace et en sifflant comme un reptile.

— Ça suffit, Tara !

— Nous ferions bien d'aller le chercher, déclara Sami Jo.

— Je viens avec vous, proposa Amanda.

Suivies de la fillette, les trois jeunes femmes gagnèrent l'orée du bois et se mirent à appeler Troy et Jacob.

— Divisons-nous, décida Sami Jo. Amanda, par ici. Patricia, par là. Et toi, Tara, continue de chercher ton frère dans le parc.

Amanda se faufila entre les arbres, le cœur battant, criant le nom de Troy. Elle avait vu trop d'affiches représentant des enfants disparus, trop de séries policières à la télé pour ne pas se faire de souci. Néanmoins, Boone's Crossing n'était pas une grande ville. Sans doute Troy et Jacob s'étaient-ils simplement éloignés sans avoir la notion du temps. Amanda continua d'avancer en tâchant de ne pas penser aux serpents évoqués par Tara.

Quelle distance pouvait parcourir un enfant ? Etant donné l'énergie qu'ils avaient à cet âge, Troy pouvait être n'importe où.

— Troy ! Jacob ! Où êtes-vous ?

Une voix lui parvint d'un point situé plus haut.

— Ici ! A l'aide !

La peur au ventre, elle se mit à courir.

— Troy ?

Mais ce fut Jacob, à bout de souffle, qui lui apparut au détour d'un sentier, le visage rouge et en sueur.

— Par ici, à la carrière de gravier ! Venez !

Amanda s'élança à sa suite.

— Qu'est-il arrivé ? Il est blessé ?

— Non mais… il va tomber… si on ne se dépêche pas. Seigneur !

— Tomber où ?

Ils venaient de déboucher au grand jour, devant une chaîne qui servait de clôture. Pour toute réponse, Jacob lui montra un point du doigt.

Au-delà de la chaîne, elle vit la carrière. Au fond de la carrière, une grue. Et accroché au gui de la grue, comme une poupée de chiffon ballottée par le vent, elle reconnut Troy.

7.

— Va chercher de l'aide, vite ! Et appelez les pompiers !

Sans hésiter, Amanda s'élança et dévala la fosse. Après avoir escaladé les énormes rails et le socle de la grue, elle se mit à grimper. Elle savait qu'elle pouvait y arriver, et le vide ne lui faisait pas peur. Pourtant, elle était terrorisée, non pour elle mais pour Troy.

Il était parvenu à mi-hauteur, à une dizaine de mètres au-dessus du sol. L'une de ses chevilles était coincée entre les barreaux. Sans doute son pied avait-il glissé. Heureusement qu'il n'était pas tombé de cette hauteur.

— Tiens bon, Troy ! Je vais t'aider.

Au-dessus d'elle, le gamin se mit à pleurer.

— Tout va bien, mon grand. Tu vas t'en sortir, je te le promets.

Essoufflée, elle poursuivit son ascension. La sueur lui piquait les yeux et lui coulait dans le dos. Bien qu'elle fasse régulièrement de l'exercice, elle n'était pas allée marcher ni faire de l'escalade depuis un bout de temps. Pourvu qu'elle ait assez de force pour tenir Troy là-haut jusqu'à l'arrivée des secours.

Après quelques minutes qui lui semblèrent une éternité, elle atteignit enfin l'enfant.

— Tu vois, je te l'avais dit.

Agrippée aux barres métalliques, elle reprit son souffle à grand-peine. D'une voix qui s'efforçait de paraître optimiste et positive, elle ajouta :

— Je suis là. Ne bouge pas.

— J'ai peur, miss Kelly ! Je vais tomber ! gémit-il d'une voix étranglée.

— Je te promets que non.

Amanda se rapprocha prudemment afin de se placer derrière lui, légèrement en dessous. Là, elle put s'asseoir sur un croisillon, enrouler ses jambes à une barre, et passer ses bras autour de Troy, qui répondit par un sanglot. Elle s'efforça de parler sur un ton apaisant et de respirer calmement pour ne pas l'effrayer davantage.

— Tout va bien, je te tiens. Regarde en l'air, Troy. Regarde cette poulie, là-haut. Concentre-toi dessus, vois comme elle est robuste, comme toutes les parties de cette grue d'ailleurs. Nous n'allons pas bouger de là. Je vais te tenir jusqu'à ce que les secours arrivent.

— J'ai super mal à ma cheville.

Amanda risqua un coup d'œil vers le bas. Vu la position de sa cheville, elle savait déjà qu'elle était cassée.

— Essaie de ne pas y penser, Troy. Tu vas avoir une histoire extraordinaire à raconter à tes copains !

Il n'était pas question, naturellement, de le féliciter de sa prouesse. Mais pour le moment, la vie de Troy dépendait du calme qu'il saurait garder. Il fallait qu'il s'accroche de toutes ses forces.

Il devait bien peser trente-cinq kilos. Beaucoup trop lourd pour qu'elle puisse le retenir s'il paniquait et glissait...

— Evidemment, je n'ai pas dit que grimper jusqu'ici était une bonne idée. Mais tu vas pouvoir raconter une drôle d'aventure, pas vrai ?

— Peut-être… Je voulais juste voir si on apercevait le parc d'ici… Je veux descendre !

— Je sais. Ne t'inquiète pas, tu vas descendre dès que les secours seront là. Jacob est allé chercher de l'aide. D'une minute à l'autre, tu vas avoir toute une brigade de pompiers pour toi tout seul. Tu vois, tu n'as aucune raison de t'inquiéter, d'accord ?

Troy s'était mis à trembler contre elle.

— D'accord. Miss Kelly, je commence à avoir mal aux bras.

— Pense à autre chose.

Affolée, s'efforçant d'ignorer la crampe qui montait dans sa cuisse droite, Amanda continua à bavarder.

— Tu es déjà allé faire de l'alpinisme avec les scouts ?

— Non, mais on a déjà grimpé sur un mur d'escalade.

— Parfait ! Alors imagine-toi que tu escalades un mur avec Ian. Le mur le plus raide que tu aies jamais vu ! Mais tu as repéré un nid plein d'aiglons et tu t'es arrêté un moment pour les observer. Imagine que cette poulie est le nid.

— N'importe quoi, soupira Troy.

Mais Amanda vit bien qu'il essayait de cacher les sanglots qui l'étouffaient.

— C'est vrai, c'est n'importe quoi. Mais on a bien le droit de dire n'importe quoi de temps en temps, non ? Bon, imagine les aiglons. Tu vois comme ils réclament la becquée ? Sais-tu ce que mangent les petits aigles ? Est-ce que l'on vous a appris ça chez les scouts ?

Elle parlait sans discontinuer et, petit à petit, Troy se détendit légèrement. Elle s'efforça de le distraire pendant un temps qui lui parut interminable jusqu'à ce que retentissent les sirènes au loin. Et surtout, elle reconnut la voix de Ian.

— Amanda ! Tenez bon ! J'arrive !

En risquant un rapide coup d'œil vers le bas, elle l'aperçut. Chaussé de solides bottes, il cherchait du pied un appui tout en se hissant à la force des bras, plus séduisant qu'un héros de film d'action. Il eut vite fait de la rejoindre et, lorsqu'il attrapa Troy, Amanda se mit à trembler de soulagement. Elle s'effaça pour qu'il puisse passer son bras autour du jeune garçon.

— Tu t'accroches à moi d'une main et à la grue de l'autre. Nous allons descendre.

— Je peux pas, gémit Troy au bord des larmes.

— Son pied est coincé, mais je devrais pouvoir le déloger de là, précisa Amanda en se penchant.

— Faites bien attention !

En croisant son regard, elle y lut une tendresse protectrice qui fit s'emballer son cœur de plus belle.

Avec mille précautions elle se plaça de façon à pouvoir manipuler le pied de Troy. Pendant qu'elle opérait, l'une des baskets de l'enfant tomba dans le vide à une vitesse vertigineuse. Amanda ferma les yeux une fraction de seconde. Que se serait-il passé si Ian n'était pas arrivé à temps ?

Troy gémissait de douleur. Sa cheville cassée pendait, inutile.

— J'ai peur.

— Tout va bien, mon vieux. Allons, tu es un Cumberland Cub, que diable ! Tu es capable de descendre. Sers-toi de tes mains, je m'occupe du reste.

Ian redescendit lentement.

Quelque peu rassurée, Amanda aperçut alors la foule qui avait suivi Ian et Jacob jusqu'à la carrière. Certains s'étaient arrêtés avant la chaîne, d'autres l'avait enjambée, prêts à prêter main forte.

Auxiliaires médicaux et pompiers se précipitèrent au pied de la grue. Un grand cri monta de l'assistance lorsque Ian toucha le sol en tenant Troy dans ses bras. Patricia Stoakes s'élança vers son fils, qu'elle gronda et serra contre elle en pleurant, avant de remercier chaleureusement Amanda et Ian.

Malgré elle, Amanda se demanda où était passé le père de l'enfant. Peut-être n'avait-il tout simplement pas pu se libérer pour le pique-nique.

Bientôt, Troy se retrouva étendu sur une civière. A présent qu'il avait regagné la terre ferme sain et sauf, il souriait aux anges, sous l'œil admiratif de ses camarades scouts, accourus eux aussi.

— Dis-donc, tu vas voyager en ambulance par-dessus le marché ! Quelle journée inoubliable, pas vrai ? dit Amanda en lui tapotant la jambe.

Il la dévisagea, mi-figue, mi-raisin. Elle devinait sans peine ses pensées. A présent qu'il était hors de danger, il se sentait probablement ridicule d'avoir pleuré.

— Je ne dirai à personne que tu as eu peur. Promis, juré, lui glissa-t-elle à l'oreille.

Troy retrouva son sourire et ils scellèrent ce serment d'une tape solennelle dans les mains. Puis Amanda se retira pour laisser travailler les ambulanciers, qui emmenèrent l'enfant et sa mère.

— C'était très courageux et très inconscient de votre part, lui murmura Ian en la prenant par la taille.

Voulant ignorer l'agréable picotement qu'éveillait en elle ce contact, elle répliqua sèchement :

— Vous êtes bien monté, vous aussi !

— Un point partout. Mais j'ai failli avoir une attaque en vous voyant là-haut avec Troy.

— Comme ça, nous sommes deux dans le même cas.

— Vous savez que vous vous êtes coupée ?

Il examina son bras. Une estafilade s'étendait depuis le poignet jusqu'au coude.

— Je n'ai rien senti.

Pour le moment, elle ne sentait que le bouillonnement de son sang dans ses veines et le contact de leurs deux corps trop proches.

— Vous vous êtes aussi égratigné la jambe, ajouta-t-il.

— Et dire que je n'ai pas ma trousse de premier secours !

— Une infirmière qui n'a pas sa trousse de premier secours ? C'est vraiment inadmissible !

— Mais j'en ai une dans mon bureau, à la maison de repos. Je vous accompagnerai pour ramener Zeb.

Elle ne cessait de bouger pour échapper discrètement à l'étreinte de Ian. Cependant, elle ne désirait pas vraiment mettre fin à cette situation. Le contact de ce bras chaud et robuste lui plaisait, et bientôt le besoin de le prendre lui aussi par la taille s'empara d'elle. De retour au parc, elle s'arracha à regret de Ian pour aller rejoindre Zeb qui lui faisait de grands signes.

— Désolée de vous avoir laissé tomber ainsi, Zeb. Je ne me doutais pas que les événements allaient prendre une telle tournure.

— J'étais entre de bonnes mains, la rassura le vieil homme en désignant Sami Jo, qui était revenue lui tenir compagnie.

— Que s'est-il passé exactement ? demanda cette dernière. Nous avons entendu les hurlements de Jacob, puis des sirènes.

Sur le chemin de la maison de repos, Amanda leur raconta toute l'histoire.

100

— Je savais que vous n'étiez pas une femme ordinaire, dit Zeb en lui prenant affectueusement le bras. Une vraie Wonder Woman. Miss Kelly, voulez-vous m'épouser ?

Sami Jo éclata de rire et Amanda se sentit rougir.

— Tu triches, pépé ! C'est moi qui l'ai vue le premier, plaisanta Ian.

Mais son regard noir, si sexy, lui lança une œillade qui lui fit tourner la tête.

— J'ai… j'ai fait ce que n'importe qui aurait fait à ma place, bafouilla-t-elle en détournant les yeux.

— Tu parles ! dit Sami Jo. La plupart des gens se seraient contentés d'attendre les secours. Vous avez été vraiment remarquable, Amanda, et je sais que Patricia vous sera éternellement reconnaissante. Et à toi aussi, cousin. Peut-être va-t-il falloir ajouter au pique-nique annuel une parade en l'honneur de nos héros ?

— Vous n'y pensez pas, ma bonne dame ! la taquina l'intéressé.

De retour à la maison de repos, Amanda dut recommencer son récit pour ses collègues de travail qui firent cercle autour d'elle, commentant les bruits de sirènes et s'inquiétant pour ses égratignures.

Ian en profita pour raccompagner Zeb dans sa chambre.

Puis Amanda, gênée d'être au centre de l'attention générale, alla se réfugier dans son bureau. Elle n'avait écouté que son cœur en se portant au secours de Troy. Qu'aurait-elle pu faire d'autre ?

— Un coup de main ?

Plongée dans l'effervescence des derniers événements, où les images de Troy se mélangeaient à celles de Ian escaladant la grue comme un héros de film d'action, Amanda sursauta.

Ian était à sa porte.

— Ça va aller, merci.

Mais, ignorant sa réponse, il s'avança jusqu'à son bureau, lui prit la main et la retourna pour dévoiler l'intérieur de son bras, où elle s'était blessée.

— Vous savez que vous me rendez complètement fou ? Je savais déjà que vous n'étiez pas une femme ordinaire, comme dit pépé, mais en vous voyant tout à l'heure...

Il n'acheva pas, mais ses yeux lui avouèrent ce qu'elle savait déjà : Ian Bonner éprouvait pour elle ces mêmes sentiments qui la rongeaient.

Elle allait protester, mais il déposa un baiser au creux de sa main, et les mots s'étranglèrent dans sa gorge. Au contact de ses lèvres douces et chaudes, elle dut faire appel à toute la volonté dont elle était capable pour se dégager.

— Ian...

— OK ! Je n'insiste pas.

Il lui lâcha le bras, non sans retenir au passage ses doigts entre les siens. Puis, avisant une boîte de pansements ouverte sur le bureau :

— Vous n'avez pas de Snoopy ?

— Pas cette fois.

— Laissez-moi faire.

Il appliqua lui-même le pansement sur la coupure et laissa s'attarder ses mains le long de son bras.

Sami Jo, qui venait d'arriver, s'éclaircit la voix.

— Hum, désolée de vous interrompre, mais on demande les héros du jour dans la grande salle.

— Qui les demande ? répondit précipitamment Amanda en rougissant.

— Lonnie Gentry de la *Grass Roots Gazette*.

— Vous plaisantez ?

— Pas du tout. Elle est venue avec un photographe et tout le toutim.

— J'ai comme l'impression que nous allons connaître notre quart d'heure de célébrité, lui glissa Ian.

Puis, avec un clin d'œil et lui montrant la sortie :

— Après vous, Wonder Woman.

Ian s'écroula sur son canapé, muni d'un hamburger et d'un Coca. Malgré la douche qu'il venait de prendre, il avait toujours aussi mal aux reins. Mais c'était tout juste s'il y prêtait attention. Deux jours s'étaient écoulés depuis ce fameux pique-nique, deux jours pendant lesquels il n'avait pensé qu'à Amanda, même en travaillant comme un forçat. Il la revoyait sans cesse accrochée à cette grue, enveloppant Troy d'un bras protecteur. En l'apercevant là-haut, son cœur s'était arrêté de battre et il avait cru devenir fou de peur.

Amanda avait beau minimiser l'importance de son exploit, seule une personne aimant profondément les enfants pouvait avoir risqué sa vie ainsi. Ian lui-même avait un peu hésité en montant la rejoindre, partagé entre la volonté de sauver Troy et la peur de la voir tomber. Lorsqu'elle lui avait passé l'enfant, ses bras tremblaient comme des feuilles. En la regardant au fond des yeux, il avait acquis une certitude : elle avait grimpé sur cette grue parce que son instinct protecteur l'y avait poussée.

Pourtant, elle lui avait bel et bien déclaré ne pas vouloir d'enfant. Certes, il comprenait la douleur qu'elle devait éprouver après avoir perdu son bébé, mais elle lui cachait sûrement autre chose. Il avait beau se dire que cela ne le regardait pas et qu'il ferait mieux de s'en tenir à sa décision de s'éloigner d'elle, son cœur n'y croyait pas. Et depuis, il passait son temps à chercher le moyen de l'amener à se confier.

Cuddles vint s'asseoir près de lui et fourra son museau dans sa main en gémissant. En contemplant le regard de son chien, Ian lui abandonna la dernière bouchée de son hamburger.

— Bon chien, Cuddles.

Soudain, il eut une idée.

— Et si on allait faire un tour ?

Aussitôt l'animal remua joyeusement la queue, se précipita vers la porte et revint chercher son maître pour vérifier qu'il avait dit vrai. Une fois dehors, le chien ne fut pas long à comprendre qu'ils n'allaient pas monter dans le pick-up. Ian n'avait pas encore mis la main sur Banjo que Cuddles était déjà assis sur la banquette du vieux buggy de pépé. Ian attela la mule en riant. Quelques instants plus tard, il faisait route vers le chalet d'Amanda. Lorsqu'il s'engagea dans l'allée, la jeune femme donnait à manger à son petit écureuil qui disparut dans l'arbre le plus proche dès qu'il entendit l'attelage arriver.

Amanda se leva.

— On dirait que vous sortez tout droit d'un western ! lui lança-t-elle avec un sourire amusé.

— J'ai pensé qu'une promenade avec Cuddles me délasserait après ce lundi chargé. Vous venez faire un tour ?

Amanda s'approcha et tendit prudemment sa main à Cuddles qui la renifla en se tortillant avant de la couvrir d'un grand coup de langue.

— Tu es mignon tout plein, toi, dit Amanda en prenant la grosse tête du chien entre ses mains.

Puis elle leva les yeux vers Ian, hésitante.

— Il vaut mieux que je ne vienne pas.

— Allons, venez. Vous avez déjà fait un tour en buggy ?

— Non.

— Alors vous ne savez pas de quoi vous vous privez.

Il descendit et lui offrit sa main.

— Vous serez de retour dans un rien de temps.

— C'est la mule qui a fait tomber Zeb ?

— Oui, mais elle va bien se tenir ce soir, je vous le promets.

Amanda hésitait toujours.

— Je voudrais vous montrer quelque chose qui risque fort de vous plaire, plaida Ian.

— Vraiment ?

— Oui.

— Alors d'accord.

Après l'avoir hissée à bord, Ian monta à son tour et reprit les rênes. Comme son épaule frôlait celle d'Amanda, le parfum citronné de son shampooing parvint à ses narines. Elle avait natté ses cheveux et portait un chemisier sans manches couleur lavande qui lui rappelait les lilas, ces fleurs si éphémères qui éclosent au printemps. Amanda semblait tout aussi suave et insaisissable. Il aurait aimé passer son bras autour d'elle et la garder contre lui. Mais il se contenta de lui demander :

— Avez-vous passé une bonne journée ?

Ils bavardèrent un moment. Au bruit d'une voiture qui arrivait derrière eux, Ian se rangea sur le bas-côté et salua le chauffeur du véhicule. Amanda, tendue et raide, se cramponna à la banquette, le souffle court, rapide, comme lorsqu'elle avait découvert le berceau dans la remise. Qu'avait-elle donc ?

— Ne vous en faites pas, Amanda, Banjo ne risque pas de s'emballer.

— C'est ce que je me demandais, lâcha-t-elle d'une voix tremblante.

Le ton de la jeune femme intrigua Ian. En dehors de la méfiance légitime qu'elle pouvait avoir à l'égard d'une mule réputée ombrageuse, quelque chose d'autre semblait la perturber.

— Cet animal n'a désarçonné Zeb que parce que c'est un entêté et qu'il était mal luné ce jour-là.

— Qui ? Banjo ou Zeb ?

— Les deux ! Mais Banjo n'a jamais peur au milieu des voitures.

— Au fait, où allons-nous exactement ? lança-t-elle d'un ton léger, comme pour changer de sujet de conversation.

— Dans un endroit que j'aime beaucoup et où je vais pour me détendre. J'ai envie de vous le montrer.

— Quel programme !

Amanda passa un bras autour du chien tout en se cramponnant de l'autre main à la banquette.

Ian s'engagea sur une route secondaire, puis sur un chemin au milieu des arbres. Au-dessus de leurs têtes, dans une voûte de verdure, des oiseaux sifflaient. Le long du chemin, l'odeur de l'humus mouillé et des fleurs des bois embaumait l'air.

Amanda inspira à fond et poussa un soupir d'aise.

— Ce coin de nature est splendide. J'avais presque oublié comme les forêts étaient denses et vertes par ici.

— N'est-ce pas la même chose dans le Colorado ?

— Non. On trouve beaucoup d'épicéas, de pins et de trembles dans les montagnes, mais il y a aussi beaucoup d'étendues arides, avec des rochers, de l'armoise, des chênes verts. En fait, il n'y a que des plaines dans l'est du Colorado. Denver est une ville totalement plate.

— Je l'ignorais.

106

Quelques instants plus tard, Ian s'arrêta et aida Amanda à descendre. Aussitôt, Cuddles bondit à terre en s'ébrouant.

Le silence régnait, seulement peuplé des bruits de la nature. Ian admira ce décor familier comme s'il le voyait pour la première fois avec les yeux d'Amanda. Il la conduisit à quelques pas de là jusqu'à un rocher calcaire où étaient gravées les initiales « ZB + OL », usées par le temps.

— Devinez à qui appartiennent ces initiales.

— Zeb Bonner ? Et…

— Opal Lambert. Ma grand-mère.

— Comme c'est touchant. Est-ce Zeb qui a fait cela ?

— Oui. Le jour où il l'a demandée en mariage. A cet endroit précis. Il a gravé leurs initiales à l'aide d'un clou que ma grand-mère a conservé dans sa boîte à bijoux pendant des années.

— Vraiment ? C'est tellement romantique. Plus le temps passe et plus je trouve votre grand-père attachant.

— Il vous aime bien, lui aussi.

— Il m'a dit être veuf. Quand Opal a-t-elle disparu ?

— Il y a un an. Vous savez, c'est la seule personne qui m'ait déconseillé d'abandonner mon fils.

— Parlez-moi de lui, dit Amanda en s'installant sur un rondin.

Ian vint s'asseoir près d'elle.

— Il n'y a pas grand-chose à raconter. J'ai mis Jolene, ma petite amie, enceinte. Nous sortions ensemble depuis plusieurs mois, ce qui me semblait une éternité à l'époque. Nous avions seize ans et, pendant un certain temps, je me suis cru amoureux. Lorsque nous avons découvert que nous avions conçu un enfant, nous avons tout à coup ouvert les yeux sur d'autres réalités. Je n'avais aucune envie de me marier, même si c'était apparemment la chose à faire. Jolene n'était pas très enthousiaste non plus. Nous n'étions prêts

107

ni l'un ni l'autre à devenir parents. Nos parents et grands-parents nous ont copieusement fait la morale. En fin de compte, nous sommes parvenus à la conclusion que faire adopter notre enfant était la meilleure solution.

— Mais votre grand-mère, elle, n'était pas de cet avis ?

— Non. Elle disait qu'elle nous aiderait à élever cet enfant si nous voulions le garder. Mais quels parents aurions-nous faits, nous qui n'étions encore que des gosses ? Mon père ne s'est pas gêné pour me le faire remarquer. Avec lui, j'avais l'impression d'avoir commis un horrible péché qu'il valait mieux cacher. Et figurez-vous qu'aujourd'hui, il se plaint de ne pas avoir de petits-enfants !

— Avez-vous vu votre enfant ?

— Oui…

Ian se rappela comment il avait contemplé, émerveillé, son fils à l'hôpital, à travers la vitre de la nursery. Aussitôt, sa douleur se réveilla, intacte.

— Je n'oublierai jamais son petit visage, ses yeux… Mais on ne m'a pas laissé le prendre dans mes bras. J'étais furieux, mais mes parents pensaient que je ne devais pas m'y attacher. Au fil des années, j'ai commencé à penser que je n'avais pas pris la bonne décision en abandonnant cet enfant qui était le mien. Je ne sais plus. Parfois, la nuit, je n'arrive pas à dormir et je me demande où il est aujourd'hui, à quoi ressemble sa vie.

— Avez-vous tenté de le retrouver ?

— A plusieurs reprises, soupira Ian. Les formalités d'adoption ont été effectuées par un avocat local et le dossier a été scellé. Je n'avais guère d'indices pour amorcer des recherches. Longtemps, j'ai cru que j'allais le retrouver à l'improviste, par hasard, dans la rue. On encore qu'un beau jour, lorsqu'il serait suffisamment grand, il chercherait à me retrouver et qu'il viendrait frapper à ma porte.

— Avez-vous cherché sur Internet ? Sur l'un de ces sites spécialisés dans la recherche de personnes perdues de vue ?

— Pas récemment. Je ne connais même pas son prénom. Jolene a refusé de lui en donner un. Elle disait que c'était aux personnes qui l'adopteraient de le faire. Je ne les ai jamais rencontrées. Tout ce que j'ai pu faire, c'est entrer dans l'ordinateur le nom de Jolene, de ses parents, de quelques membres de sa famille… Vous voyez, je n'ai pas beaucoup d'éléments en main.

— Je suis désolée, dit Amanda, d'un air profondément sincère qui le toucha.

Se rappelait-elle ce qu'il lui avait dit l'autre soir, sur ceux qui cherchent refuge dans l'excès de travail et autres poisons ? Il se souvint soudain qu'elle avait pleuré ce soir-là. Il aurait aimé en savoir davantage sur ce bébé qu'elle avait perdu, mais hésitait encore à la presser de questions.

— Parlez-moi de vous, Amanda.

— Vous vous posez des questions sur ce bébé, n'est-ce pas ?

— Uniquement parce que j'ai de l'affection pour vous.

A vrai dire, tout ce qu'il voulait, c'était qu'elle revienne sur ce qu'elle avait dit en découvrant le berceau dans la remise, la semaine précédente : « Je ne veux plus jamais avoir d'enfant. » Et il se sentit un peu honteux de ses pensées.

— J'étais mère porteuse. Pour ma sœur, Nikki. J'ai perdu le bébé à cause d'un accident de voiture.

Ian ne sut que répondre.

Amanda poursuivit, le regard perdu au loin :

— Je revenais de chez ma sœur. Nos amies avaient organisé une fête en l'honneur du bébé et j'étais restée après le départ des invités, pour aider à ranger… à ranger les cadeaux de naissance. Dans la chambre du bébé. Une pièce que nous avions repeinte et décorée, Nikki et moi.

Ian était bouleversé. Comment avait-il pu la questionner, l'exposant à revivre une telle épreuve ?

— Amanda…

— Non. Vous avez voulu savoir, alors laissez-moi aller jusqu'au bout. Quand je suis sortie, il faisait nuit. Ma sœur habite la campagne. Je devais emprunter une route de montagne pour rentrer chez moi. Sur le bord de cette route, j'ai aperçu une jeune femme debout près de sa voiture. Elle avait un pneu à plat et n'était pas chaudement vêtue. Elle semblait avoir froid et peur. J'ai eu pitié d'elle et j'ai voulu l'aider. Comme j'avais un mobile, je pensais appeler les secours. J'ai détaché ma ceinture pour sortir et, à partir de ce moment-là, tout s'est mis à se dérouler au ralenti. J'ai entendu un bruit terrifiant que je n'oublierai jamais, comme un coup de feu. Puis j'ai senti ma voiture bouger. Ensuite, je ne me souviens plus de rien, mais la police a expliqué à Nikki ce qui s'était passé. Un autre conducteur m'était rentré dedans. D'après un témoin, il avait bu. Après avoir poussé ma voiture dans un ravin, il a renversé la jeune femme que je voulais aider et qui a été grièvement blessée. Ma voiture a fait trois tonneaux avant de s'immobiliser, les roues en l'air. J'ai eu un hématome rétroplacentaire, mon placenta s'est décollé de mon utérus. J'ai failli me vider de tout mon sang. Quant à ce conducteur en état d'ivresse… il a réussi à s'en tirer, figurez-vous, conclut-elle d'un ton amer.

— Amanda, si vous saviez comme je suis désolé. Sincèrement. Je ne voulais ni être indiscret ni vous faire pleurer.

— Vous n'y êtes pour rien. Je pense à ce bébé, à Anna, tout le temps. Je ne me remettrai jamais de l'avoir perdu.

110

Depuis l'accident, j'ai des crises de panique. J'ai eu du mal à reprendre le volant. Je me demande même comment j'ai pu venir ici en voiture depuis le Colorado ! Ces crises de panique sont déclenchées par un certain type de situations.

Comme de rouler dans un buggy sur la route, près des automobiles qui vous frôlent, par exemple, pensa soudain Ian qui s'en voulut terriblement de lui avoir proposé cette promenade.

— N'y a-t-il pas des médicaments pour contrôler les crises de panique ?

— Si. Mais je n'aime pas les effets secondaires ; j'ai des vertiges et l'impression de planer. Mon psychothérapeute m'a conseillé des exercices de relaxation pour lutter contre ces crises. De toute façon, aucun médicament ne me fera jamais oublier ce qui est arrivé. Par conséquent, si vous recherchez une personne prête à s'engager et à avoir des enfants, vous avez frappé à la mauvaise porte, Ian. Je ne suis pas celle qu'il vous faut.

En proie à un tourbillon d'émotions, Ian fut ébranlé par les derniers mots d'Amanda. Elle avait entièrement raison et avait parfaitement compris ses sentiments. Il ne lui restait plus qu'à la remercier d'avoir partagé cette agréable soirée avec lui, et à la raccompagner chez elle. Cependant, les choses n'étaient pas aussi simples, car il venait soudain de prendre conscience qu'elle comptait beaucoup plus pour lui qu'il ne l'avait cru jusque-là.

Elle avait traversé des épreuves inhumaines. Et lui qui trouvait difficile d'avoir été obligé de faire adopter son propre enfant !

Indépendamment du chagrin, Amanda devait éprouver des sentiments complexes après avoir perdu un bébé qui était le sien sans l'être tout à fait. La force incroyable de caractère dont elle faisait preuve forçait son admiration.

— Ça, je n'en suis pas aussi sûr que vous, répondit-il d'une voix douce.

Et parce que c'était plus fort que lui, parce qu'il désirait la serrer contre elle et apaiser son chagrin, il la prit dans ses bras et l'embrassa.

8.

Sous les lèvres de Ian, Amanda sentit sa raison s'envoler comme le duvet des pissenlits que le vent emporte. C'était un baiser plein de tendresse, et non le baiser d'un homme qui cherche à profiter d'un moment de faiblesse. Ni le baiser d'un homme qui attend quoi que ce soit en échange. Il l'embrassait comme un homme sur qui l'on peut compter, un homme de parole. Alors, malgré elle, elle répondit à ce baiser.

Elle n'était qu'une femme après tout. Or toute femme normalement constituée aurait réagi de la même façon. Elle entrouvrit les lèvres et ferma les yeux. Et lorsqu'il introduisit sa langue, elle passa les bras autour de son cou. Il avait un goût suave et excitant et elle aurait voulu que ce baiser se prolonge indéfiniment.

C'est à contrecœur qu'elle se dégagea, non sans avoir échangé plusieurs autres baisers. Ni avant d'avoir appris par cœur les contours de sa bouche. Lorsqu'elle rouvrit les yeux, elle découvrit un homme encore sur sa faim. Son visage tout entier traduisait son désir. Mais son regard traduisait plus encore : l'intensité avec laquelle il la dévisageait venait tout droit de son cœur. Il la désirait tout entière, pas seulement physiquement.

— Ian, je ne pense pas que ce soit une bonne idée.

— Alors arrêtez de penser.

113

Et sans lui laisser le temps de protester il s'empara de nouveau de ses lèvres, prenant tout son temps, pour un baiser à la fois tendre et brûlant.

Amanda laissa échapper un petit soupir. Ian fit une pause, puis l'embrassa encore en lui caressant le dos.

— Amanda… Vous me rendez fou. Je n'arrête pas de me dire que nous ne sommes pas faits l'un pour l'autre, mais lorsque je vous tiens dans mes bras comme maintenant… j'ai l'impression du contraire. Vous êtes belle, Amanda et j'ai du mal à bien me tenir. Et surtout, j'ai envie de mieux vous connaître. Mais je préfère être franc. C'est vrai, je cherche une femme qui veuille partager ma vie et avoir des enfants. Et m'amuser ne m'intéresse pas.

Bien qu'elle apprécie sa franchise, ces mots frappèrent la jeune femme en plein cœur.

— Moi non plus.

Retirant ses mains de son cou, elle le repoussa doucement pour l'obliger à la relâcher.

— Amanda, attendez. Je ne veux pas vous faire souffrir. Je ne le ferai jamais. C'est la raison pour laquelle j'essaie d'être franc avec vous. Si vous avez envie de sortir avec moi, d'accord. Mais soyons réalistes, fixons-nous des limites dès le départ. J'aime être avec vous, je n'ai pas envie de cesser de vous voir.

— Je ne suis pas une nonne, Ian. Et je n'ai pas l'intention de rester célibataire toute ma vie. Mais le fait est, que pour l'instant, je ne suis pas prête pour une relation sérieuse. Moi non plus je ne veux pas vous faire souffrir. Je regrette d'avoir laissé les choses aller aussi loin.

— Ce n'est pas de votre faute. C'est moi qui vous ai embrassée. Je n'ai pas l'intention de vous forcer la main. Je voulais juste savoir où nous en étions.

— Vous le savez maintenant. Nous ferions peut-être mieux de nous arrêter là.

Et sans attendre sa réponse, elle regagna le buggy. Ian voulut l'aider à monter, mais elle s'était déjà hissée sur le siège. Sa peau la brûlait partout où il avait posé ses mains. Ses lèvres gardaient la trace de ses baisers et se languissaient déjà des prochains... Pourquoi ne parvenait-elle pas à se débarrasser de ce chagrin qui l'avait suivie jusqu'ici, dans le Tennessee ? Elle était censée prendre un nouveau départ, se faire une nouvelle vie. Mais la douleur semblait avoir fait son nid en elle.

Du coin de l'œil, elle regarda Ian rappeler son chien, s'asseoir sur la banquette, saisir les rênes et desserrer le frein sans un mot. Tout cela ne serait pas arrivé si elle ne s'était pas laissée aller à accepter ce baiser dans un court instant de faiblesse. Il était temps qu'elle reprenne le contrôle de ses émotions avant que la situation ne lui échappe complètement.

— Ian, vous n'avez rien à vous reprocher. Et je ne veux pas que vous croyiez que je n'ai pas envie de vous voir. Si vous m'acceptez telle que je suis, alors je ne vois aucun inconvénient à ce que nous passions du temps ensemble.

— Je ne voudrais surtout pas que vous soyez différente de ce que vous êtes, répondit-il avec un petit sourire qui lui fendit le cœur.

Sur ces mots, il s'engagea sur la grand-route et n'ouvrit plus la bouche tout le temps que dura le voyage du retour.

Deux jours plus tard, comme Amanda rentrait du travail, le téléphone sonna. Elle reconnut la voix de la chaleureuse Sami Jo.

— J'espère que je ne vous dérange pas en plein repas ? demanda cette dernière.

— Pas du tout.

Tout en parlant, le téléphone sans fil coincé sous son oreille, Amanda posa son courrier et retira ses chaussures.

— En fait, j'ai travaillé un peu plus tard que d'habitude aujourd'hui et je viens tout juste d'arriver.

— Dans ce cas, je ne vais pas être longue. J'appelais pour savoir si vous auriez envie d'aller faire du shopping samedi prochain. Nous pourrions aller à Knoxville, dans la galerie marchande, et grignoter quelque chose sur place, pour passer une journée entre filles.

Amanda eut un pincement au cœur. Combien de fois Nikki ne l'avait-elle pas invitée à de semblables parties de shopping ? Combien de week-ends n'avaient-elles pas passés à faire du lèche-vitrine ou à siroter des boissons sucrées chez le libraire, simplement heureuses de la présence silencieuse et rassurante de l'autre ?

S'arrachant à sa rêverie, elle répondit sur un ton qui se voulait enjoué :

— Je ne sais pas. Je travaille beaucoup et j'essaie de mettre de l'ordre dans cette maison. J'avais pour ainsi dire prévu de ranger la remise ce week-end. Les journées ne sont pas assez longues.

— A qui le dites-vous ! Mais il faut bien s'accorder des vacances de temps en temps. Vous êtes sûre de ne pas pouvoir vous échapper quelques heures ?

Amanda hésita. D'un côté, elle désirait se terrer dans ce chalet, pour y panser ses blessures. Mais de l'autre, elle reconnaissait s'être bien amusée lors du pique-nique. En outre, Sami Jo, qui était une femme adorable, l'avait tout de suite mise à l'aise en l'accueillant comme une citoyenne de Boone's Crossing à part entière. Amanda ne voulait surtout pas la vexer.

— Bon, d'accord.

Pourquoi pas après tout ? Changer d'air et se distraire de ses occupations habituelles lui seraient peut-être bénéfique.

Quand elles eurent convenu d'une heure, Amanda raccrocha sans l'ombre d'un remords, même si elle regrettait de ne pas aller plutôt faire du shopping avec Nikki. Sa sœur lui manquait énormément. En quittant le Colorado, elle pensait avoir pris la bonne décision. Mais elle n'avait pas prévu combien il serait difficile d'être séparée de Nikki par cette distance qui commençait à lui sembler infinie.

C'est dans cet état d'esprit qu'elle appela sa sœur. Aux premiers mots qu'elle prononça, la voix de Nikki lui réchauffa le cœur. Elles bavardèrent de tout et de rien, et Amanda lui expliqua qu'elle allait faire du shopping avec Sami Jo, sa nouvelle amie, dans l'espoir que voir de nouvelles têtes lui ferait du bien, et que prendre l'air valait mieux que de se terrer dans le chalet.

— Cela tombe sous le sens, déclara Nikki. Je regrette de ne pas pouvoir me joindre à vous, mais je suis heureuse d'apprendre que tu te fais des amis. J'espère que tu passeras un bon moment avec Sami Jo. Et mange des bretzels en pensant à moi !

— J'aimerais plutôt que tu songes à venir me voir un de ces jours.

— Je vais peut-être y songer sérieusement. Je t'embrasse.

— Moi aussi, ma grande. Je t'appelle bientôt.

Quand Amanda raccrocha, elle se sentait légèrement mieux.

Sami Jo vint la chercher le samedi matin à 10 heures. Elles firent route vers Knoxville en bavardant tandis qu'à la radio, Willie Nelson et Toby Keith susurraient une chanson à base de whisky, de bière et de chevaux. Dans la galerie marchande, elles durent se frayer un passage à travers la foule. Amanda se rendit soudain compte de la vie de recluse qu'elle menait à présent, dans le chalet de Granny perdu au milieu des bois.

La nostalgie l'envahit à nouveau et elle se prit à regretter l'absence de Nikki. Sa sœur lui manquait encore plus depuis qu'elle lui avait parlé au téléphone. L'odeur du maïs chaud et des cookies aux pépites de chocolat tout juste sortis du four montait autour d'elle comme les volutes d'une fumée invisible. Elle pressa le pas pour rattraper Sami Jo, qui se dirigeait vers une boutique de chaussures.

— C'est ici que l'on fait les meilleures affaires. Et leurs chaussures durent longtemps.

Après s'être amusée à essayer des paires de chaussures invraisemblables, Amanda opta pour des sandales couleur paille qui se marieraient parfaitement avec sa robe bain de soleil préférée. Puis Sami Jo et elle retournèrent dans la galerie, munies de leurs emplettes.

— J'espère qu'avec ces mocassins je n'aurai pas les chevilles qui enflent, dit Sami Jo en lui montrant ses achats.

— Pourquoi ? Vous avez des problèmes de chevilles ?

Sami Jo sourit.

— Pas encore, mais d'ici quelques mois, cela pourrait changer. Fini d'escalader les charpentes et de construire des kiosques : je viens de découvrir que j'étais enceinte.

Amanda fut aussitôt prise d'une sensation de vertige qu'elle ne put contrôler. Tout ce qui lui raconta ensuite Sami

Jo se perdit dans un brouhaha confus. Elle s'efforça de lui adresser les félicitations d'usage, sans être sûre d'avoir réellement ouvert la bouche. Néanmoins, sans doute Sami Jo ne remarqua-t-elle pas son trouble, car elle la prit par le bras et l'entraîna vers une autre boutique.

— Il faut que j'aille voir à l'intérieur. Cela ne vous dérange pas ?

Amanda la suivit, hébétée, à travers différents rayons. Sami Jo n'arrêtait pas de bavarder. L'odeur du talc et du lait pour bébé tira néanmoins Amanda de sa torpeur. Soudain, elle aperçut autour d'elle des rayonnages chargés de tout ce dont une future maman pouvait avoir besoin.

Petites serviettes, canards en plastique, anneaux de dentition…

Ce fut comme si le sol était brusquement devenu mouvant. La gorge nouée, les yeux brûlants, elle fit un pas en arrière et se heurta à un lit de bébé. Lorsqu'elle voulut faire un pas en avant, elle faillit renverser une chaise haute.

— Amanda ? Mon Dieu, qu'est-ce qu'il vous arrive ?

Amanda secoua la tête en déglutissant avec effort.

— Je ne peux pas. Désolée. Je…

Ignorant les regards intrigués des autres clientes, elle se précipita vers la sortie, serrant son sac de chaussures comme un bouclier. Sa respiration s'était accélérée. Si elle ne s'arrêtait pas, elle allait faire de l'hyperventilation.

L'odeur fantôme du lait de toilette pour bébé continuait de hanter son esprit. Elle revit les nouveau-nés qu'elle avait pris dans ses bras à la maternité de Deer Creek. Les yeux fermés, elle se remémora la douceur de leurs menottes, leurs petits doigts parfaitement formés, leurs ongles minuscules. Et la force avec laquelle ils agrippaient parfois ses doigts, qui semblaient énormes et grossiers comparés aux leurs.

Pleins de vie, ils criaient de toute la force de leurs poumons. Ils faisaient la joie et la fierté de leurs parents, qui accueillaient leurs cris comme une preuve de bonne santé chez leurs enfants venus au monde sans encombre. Ils naissaient en gigotant et en fermant les yeux, protestant contre la brutalité avec laquelle on les arrachait au ventre chaud et douillet de leur mère, pour les propulser dans un univers plein de lumières vives et de bruits étranges.

Amanda se laissa tomber sur un banc près d'une énorme plante verte et d'une fontaine. Des enfants lançaient des piécettes dans l'eau à grand renfort de rires et de cris. Amanda se mit à contempler ce spectacle, en attendant que Sami Jo vienne la rejoindre. Elle s'efforça de respirer normalement et de chasser une fois pour toutes de sa mémoire ces odeurs et ces images de bébé.

Elle aurait voulu hurler.

La mort d'Anna était une injustice insupportable. Pourquoi ne pouvait-elle pas remonter le temps jusqu'à l'instant qui avait précédé son départ de chez Nikki, ce soir-là, après la fête ? Les yeux fermés, elle se récita la litanie désormais habituelle.

Si seulement elle avait accepté la tisane que lui avait proposée Nikki.

Si seulement elle avait pris le temps de chercher vraiment le CD qu'elle voulait écouter dans la voiture et qui gisait quelque part dans le fouillis de la banquette arrière.

Si seulement elle ne s'était pas arrêtée pour secourir Caitlin Kramer et son pneu crevé.

Pourquoi les choses s'étaient-elles déroulées ainsi ? Combien de fois n'avait-elle pas réconforté une patiente qui venait de perdre son bébé ? Combien de fois ne s'était-elle pas sentie impuissante à trouver les mots et les gestes qui consolent ? Toujours, elle avait tenté de garder une distance professionnelle vis-à-vis de ces drames, même si la perte d'un enfant et la souffrance qu'elle provoquait dans l'entourage de la mère lui fendait le cœur.

La voix de Sami Jo la ramena dans le présent.

— Amanda ? Mon Dieu, qu'est-ce qu'il y a ?

Amanda se sentait idiote. Comment espérait-elle surmonter ce drame un jour si elle n'était pas capable de supporter qu'une amie lui annonce qu'elle était enceinte ? Ou si elle ne pouvait même pas traverser le rayon puériculture d'un grand magasin ?

— Excusez-moi. Je ne voulais pas vous fausser compagnie, articula lentement Amanda en retrouvant peu à peu une respiration normale.

— Ce n'est pas grave. Mais je… Venez. Allons dans un endroit plus tranquille pour discuter.

Amanda se laissa entraîner. Sami Jo emprunta une allée jusqu'à une sortie secondaire qui donnait sur des espaces verts, près du parking. Toutes deux se laissèrent tomber sur un banc, à l'ombre d'un arbre.

— Et maintenant, vous allez me dire ce qui ne va pas, ma belle. Car il est évident que quelque chose vous a choquée.

Le visage hâlé de Sami Jo traduisait une réelle inquiétude.

Amanda s'efforça de ne pas baisser les yeux vers le ventre encore plat de sa compagne, de ne pas s'imaginer qu'il ne tarderait pas à s'arrondir, comme le sien l'avait fait. Elle ne se sentait pas capable d'expliquer une fois de plus son accident. Cependant, il n'était pas question non plus de se débarrasser de Sami Jo à l'aide d'un mensonge.

— Il y a quelques mois, j'ai perdu un bébé.

Elle ne donna que quelques détails, et passa le reste sous silence.

— Oh Amanda ! Si vous saviez comme je suis désolée. Et moi qui n'arrête pas de parler puériculture depuis tout à l'heure.

— Ce n'est pas grave. Vous ne pouviez pas savoir.

— Je ne sais plus où me mettre. Laissez-moi vous inviter à déjeuner. Je sais que cela ne changera rien, mais je vous avais proposé cette partie de shopping pour que vous passiez un bon moment et, au lieu de cela, je vous ai complètement gâché la journée.

Amanda n'avait pas faim, mais elle ne voulait pas vexer sa nouvelle amie.

— Cessez de vous en vouloir. Ce déjeuner est une excellente idée.

Sami Jo sembla infiniment soulagée.

— Si nous allions à l'Olive Garden ? C'est mon restaurant préféré. De toute façon, comme je n'arrive pas à garder mon repas une fois sur deux, je… Oh, mon Dieu ! Est-il possible d'être aussi gaffeuse que moi ?

— Ne vous en faites pas, la rassura Amanda en souriant.

Mais en regagnant la voiture pour se rendre au restaurant, la jeune femme se demanda si sa vie redeviendrait jamais normale.

Lorsque Sami Jo la déposa chez elle, Amanda était nerveusement épuisée. Au restaurant, elle avait picoré en feignant d'avoir faim, pour que son amie ne se sente pas encore plus coupable.

A l'heure du dîner, l'appétit n'était toujours pas revenu. Elle se prépara une salade qu'elle alla grignoter dans le salon. Assise sur le canapé, regardant au loin par la fenêtre, elle pensa de nouveau à Ian. Il s'était montré particulièrement gentil et compréhensif l'autre jour, et elle avait des remords de l'avoir peut-être froissé. Elle n'avait pourtant pu faire autrement que d'être franche avec lui comme il l'avait été avec elle.

L'histoire de son fils la touchait profondément. S'il était horrible de perdre un enfant, être obligé de l'abandonner ne devait guère valoir mieux. Elle espérait qu'il finirait par le retrouver. Ces réflexions lui firent soudain prendre conscience de sa propre situation.

Certes, elle était venue chez Granny pour prendre un nouveau départ. Mais dans le fond, ce n'était qu'une fuite. Comme l'avait dit Ian l'autre soir, lorsqu'ils s'étaient installés sous le porche pour bavarder, s'abrutir de travail était une façon de se dérober. Or, elle n'avait rien fait d'autre depuis son arrivée dans le Tennessee : travailler, s'affairer autour du chalet jusqu'à tomber d'épuisement. Les jours se suivaient et se ressemblaient. Et elle ne ressentait aucun changement s'opérer en elle.

Il devait bien exister des occupations plus constructives. Et si elle se mettait au jardinage ? Elle était parfaitement capable de tondre elle-même la pelouse. Il y avait une vieille tondeuse à main au fin fond de la remise. Voilà qui lui permettrait de faire de l'exercice tout en ayant une pelouse impeccable. Décidément, il fallait vraiment qu'elle mette de l'ordre dans cette remise.

Au lieu de penser au berceau qui se trouvait lui aussi à l'intérieur, Amanda songea à ce qu'elle avait accompli de positif. Se faire des amis, comme Sami Jo par exemple, était un pas dans la bonne voie, celle qui la mènerait vers une vie nouvelle. Et, bien évidemment, il y avait ses rendez-vous avec Ian, si toutefois on pouvait les appeler ainsi. Si toutefois aussi elle pouvait les classer dans la catégorie « bonne voie », ce dont elle doutait quelque peu.

C'est pourquoi elle désirait rester prudente, s'assurer que leur relation n'exigeait pas d'elle plus qu'elle ne pouvait offrir.

Elle songea soudain aux recherches entreprises par Ian pour retrouver son fils.

Elle n'avait qu'à l'aider.

Pourquoi pas ? Elle pouvait avoir une idée nouvelle, une méthode, une approche qu'il n'avait pas encore essayée. Elle adorait aider les autres. N'était-ce pas ce qui l'avait conduite à devenir infirmière ? Cependant, dans ce cas précis, sa motivation était bien différente car elle y voyait surtout l'occasion de passer du temps avec Ian. Et par-dessus tout, cela lui permettrait de soulager sa propre conscience.

Car elle éprouvait des remords chaque fois qu'elle songeait aux limites qu'elle avait imposées à Ian, chaque fois qu'elle revoyait le regard qu'il avait eu en l'embrassant, et l'expression de son visage lorsqu'elle lui avait annoncé qu'elle ne voulait plus jamais avoir d'enfant. Si elle lui permettait de retrouver son fils, Ian serait heureux et elle ne se sentirait plus coupable d'avoir été obligée de le repousser.

Et c'est avec une énergie nouvelle qu'elle alla rapporter son assiette vide à la cuisine.

Ian frotta ses yeux fatigués et éteignit son ordinateur. En lui posant des questions, l'autre soir, lorsqu'il l'avait emmenée faire un tour en buggy, Amanda l'avait poussé à reprendre ses recherches sur Internet. Mais une fois de plus, il n'avait trouvé aucune piste valable. Ses indices étaient si minces que la tâche semblait désespérée. Il se rappelait, à présent, pourquoi il avait précédemment renoncé à chercher.

Il s'était agi d'une adoption privée, chez un avocat local. Peu après la signature des papiers, Ian les avait déchirés dans le but d'effacer son passé et l'erreur qu'il avait commise en fréquentant Jolene. Il regretterait ce geste toute sa vie. Par la suite, à l'âge de vingt ans, lorsqu'il avait entrepris des recherches, il s'était vu répondre que le dossier était scellé, autrement dit qu'il contenait des informations confidentielles qui ne lui étaient pas destinées. Agacé, il avait abandonné.

Plus tard, en voulant retenter sa chance, il avait appris que l'avocat en question avait quitté la ville. Il n'arrivait pas à se rappeler le nom des parents adoptifs. Le temps passant, il avait aussi oublié celui de l'avocat. Il l'avait pourtant noté une fois. Etait-ce Breck ? Ou Beck ? Il avait même envisagé de louer les services d'un détective. Mais avec ce nom dont il n'était même pas sûr pour seul point de départ, son entreprise semblait surtout vouée à lui faire perdre son temps et son argent. Jolene n'avait pas voulu lui communiquer d'informations. Ian était pratiquement sûr qu'elle se rappelait le nom des parents adoptifs. Cependant, elle avait refusé de le lui dire. Puis, peu de temps après, elle avait déménagé. Avec un profond sentiment de défaite, Ian avait jeté le papier sur lequel il avait noté le nom de l'avocat.

Qui sait où pouvait vivre Jolene à présent ? Si elle s'était mariée, il y avait de fortes chances pour qu'elle ait pris le nom de son mari. Certes, elle avait encore de la famille aux alentours de Boone's Crossing, mais en apprenant la grossesse de Jolene, tous ces gens avaient réagi en tournant le dos à Ian, comme s'il était l'unique responsable de la situation. Oncles ou cousins, ils avaient été plus d'un à lui conseiller d'aller au diable s'il ne voulait pas se retrouver avec une balle dans la peau.

Le fait d'ignorer le prénom de son fils était un supplice sans fin. Les papiers qu'il avait signés mentionnaient seulement un « petit garçon ». Quant au nom des parents adoptifs, qui figurait aussi sur ces papiers, Ian n'y avait pas fait attention, désireux, à l'époque, d'oublier au plus vite cette histoire. Il le regrettait à présent. Comment allait-il retrouver son fils dans ces conditions ?

Ian mit sa casquette et sortit nourrir Cuddles et Banjo. Après être allé rendre visite à pépé dans la matinée, il avait passé toute la journée à travailler avant de se lancer dans ces recherches sur Internet. Or ces recherches l'avaient énervé et découragé. En outre, le fait de penser à son fils le ramenait à Amanda. La tête ailleurs, il alla ouvrir le robinet d'eau pour remplir l'abreuvoir.

Amanda avait subi une épreuve terrible. S'il avait déjà entendu parler des mères porteuses, il n'avait jamais vraiment réfléchi à leur situation. Le fait d'être proche d'Amanda, d'avoir des sentiments pour elle, lui faisait considérer d'un œil nouveau une question qui ne l'avait jamais touché auparavant. S'il avait su combien elle souffrait, jamais il n'aurait évoqué l'abandon de son fils. Il ressentait le besoin de faire quelque chose pour elle, même si l'épreuve qu'elle traversait n'était pas de celles que l'on oublie facilement. S'il n'y pouvait rien changer, il pouvait tout au moins lui offrir sa présence. Il ne l'avait pas vue depuis une semaine, et cela lui semblait une éternité. Elle lui manquait terriblement.

Le téléphone le tira de ses réflexions. Il courut décrocher en espérant entendre la voix d'Amanda.

— Allô ?

— Salut, cousin ! Qu'est-ce que tu fabriques ?

— Pas grand-chose, Sami. Je m'occupais de Banjo. Que se passe-t-il ?

— Ecoute, je sais que je ne devrais pas me mêler de ce qui ne me regarde pas, mais j'aime beaucoup Amanda et il est clair que toi aussi.

— Il s'est passé quelque chose ?

— Je suis allée faire du shopping avec elle aujourd'hui, et j'ai bien peur que cette journée n'ait été un désastre.

Elle lui raconta l'incident de la galerie marchande.

— Je n'ai même pas eu le temps de t'annoncer la grande nouvelle. Je ne le sais que depuis hier.

— Félicitations ! Je suis vraiment heureux pour John et toi.

Ian se sentait plein de joie et de fierté à l'idée d'avoir bientôt un nouveau petit cousin à gâter. Cependant, son bonheur était terni par l'idée de ce qu'Amanda avait dû endurer et ressentir lorsqu'elle s'était retrouvée entourée d'articles pour bébé.

— Je te remercie, dit Sami Jo. Mais je me fais du souci pour Amanda.

— Ce n'est pas de ta faute. Tu ne pouvais pas savoir.

— C'est ce qu'elle m'a dit, mais il n'empêche que je me sens horriblement coupable. J'aimerais faire quelque chose pour la réconforter, mais je ne sais pas quoi. J'ai bien pensé lui envoyer des fleurs, mais je crains que cela ne lui fasse encore plus de peine. Ce serait une façon de remuer le couteau dans la plaie, surtout si elle a reçu des fleurs à la mort du bébé. Mais si c'était toi qui t'en chargeais... Quelle femme ne rêve pas d'être fleurie par un homme ?

Ian eut honte de ne pas avoir eu cette idée plus tôt.

— Bon sang ! Je dois vraiment avoir oublié comment m'y prendre avec les femmes. J'aurais dû penser depuis longtemps à lui offrir des fleurs ! Ne le dis pas à pépé, sinon je vais me faire tirer les oreilles.

Le rire généreux de Sami Jo retentit à l'autre bout du fil.

— Je serai muette comme une carpe.

Ian raccrocha, partagé entre des émotions contradictoires. Sa joie d'avoir trouvé un bon prétexte pour revoir Amanda pâlissait lorsqu'il songeait à la souffrance qu'elle avait dû éprouver en revivant de douloureux souvenirs. Il eut toutes les peines du monde à ne pas sauter sur-le-champ dans sa voiture pour aller la voir. Mais elle avait sûrement besoin de calme. Néanmoins, l'idée de Sami Jo était excellente.

Quel genre de fleurs lui offrir ? Des roses ? N'avait-il pas lu quelque part qu'il convenait d'offrir des roses jaunes en signe d'amitié et des rouges en signe d'amour ? Aucune de ces couleurs ne semblait cependant adaptée à la situation. Fallait-il opter pour un mélange des deux ou s'en tenir au blanc ? Ou au rose ? Que signifiaient ces deux dernières couleurs dans le langage des fleurs ?

Il eut soudain une idée. Pas question d'aller acheter un bouquet chez le fleuriste. Il allait faire beaucoup mieux ! Il offrirait à Amanda quelque chose de plus durable qui l'obligerait à penser à lui chaque fois qu'elle serait dans son jardin. Quelque chose qui lui fournirait en outre un prétexte pour passer une partie de la journée avec elle.

En entendant déborder l'eau dans l'abreuvoir, il sortit en courant pour fermer le robinet. L'abreuvoir n'était pas le seul à déborder : son cœur, lui aussi, se gonflait comme un ruisseau en crue lorsqu'il pensait à Amanda. Certes, continuer à la voir en désirant l'impossible avait quelque chose de masochiste. Mais au fond, il espérait malgré lui que suivre les conseils de pépé finirait par porter ses fruits. La nature allait bien reprendre ses droits un jour et obliger Amanda à voir en lui plus qu'un simple ami.

De toute façon, il était déjà allé trop loin pour sa part.

Il ne lui restait plus qu'à ne pas se décourager et à espérer.

9.

Amanda passa la plus grande partie de son lundi matin au téléphone, à s'entretenir avec les médecins qui suivaient les patients. Lorsqu'elle eut terminé, une nouvelle résidente, du nom de Lily Crenshaw, venait d'être admise. Amanda se rendit jusqu'à sa chambre pour faire connaissance et veiller à ce qu'elle reçoive ses premiers soins. Lily était arrivée à Shade Tree Manor après une longue grippe à la suite de laquelle elle souffrait de déshydratation. Après un séjour à l'hôpital, elle était rentrée chez elle où son état avait malheureusement empiré. Sa famille n'étant pas en mesure de lui prodiguer les soins nécessaires, elle avait été orientée vers la maison de repos.

Amanda arriva dans sa chambre au moment où Roberta lui installait une perfusion.

— Bonjour, Lily. Comment vous sentez-vous ? dit-elle après s'être présentée.

— J'ai connu des jours meilleurs. Je ne me suis jamais sentie aussi faible.

Lily était un tout petit bout de femme aux bras et aux jambes d'une maigreur extrême. Elle gisait contre son oreiller sur lequel étaient étalés ses cheveux pâles et argentés.

— La pauvre. Je n'arrive pas à trouver une veine où planter mon aiguille. Je crois que je vais te laisser faire, déclara Roberta en tapotant affectueusement la main de Lily.

— Voyons ça.

Tout en distrayant la vieille dame par son bavardage, Amanda inséra l'aiguille et la fixa à l'aide d'un bandage.

— Voilà. Vous n'allez pas tarder à vous sentir mieux.

Lily dévisagea attentivement Amanda.

— Je vous ai déjà vue, le jour du pique-nique, avec le fils de Matthew Bonner.

— Ian ?

— Exactement. Je vous ai aussi vue en photo dans le journal. C'est bien vous, les héros, n'est-ce pas ?

— Eh bien, je ne sais pas.

Amanda rougit. Tout le monde avait beaucoup jasé sur Ian et elle après que le journal local ait publié en première page le récit du sauvetage de Troy. Amanda avait pourtant fait de son mieux pour démentir les insinuations selon lesquelles Ian et elle formaient un couple.

— Je croyais pourtant qu'il était avec Jolene Kennedy, reprit la vieille dame.

— C'était il y a longtemps, intervint Roberta. Et elle s'appelait Bradford, pas Kennedy. Nous étions ensemble en cours de français, et Dieu sait si je l'enviais d'avoir mis le grappin sur Ian Bonner ! Désolée, Amanda, mais c'était vraiment un beau garçon.

Et il l'est toujours, pensa Amanda qui se sentit rougir de plus belle.

— Vous êtes sûre que Jolene et lui ne sont plus ensemble ? insista Lily. Elle est de ma famille, vous savez.

— Absolument sûre, Lily. Plus depuis le lycée, affirma Roberta.

— Ah ? Bon. Vous direz bonjour de ma part à Ian la prochaine fois que vous le verrez.

— Je vous le promets, Lily, répondit Amanda. Et dites-nous si vous avez besoin de quoi que ce soit.

Puis elle laissa la patiente entre les mains de Roberta. Les paroles de la vieille dame la hantaient. Même en admettant que son cerveau était un peu confus, peut-être devrait-elle répéter à Ian ce que cette dernière avait dit à propos de Jolene, la prochaine fois qu'elle le verrait. Chaque détail avait son importance.

Malheureusement, lorsque Ian vint voir son grand-père ce jour-là, elle était occupée et ne put que le saluer de loin. Puis une patiente piqua une crise pour de mystérieuses raisons et tomba de son fauteuil roulant, s'infligeant au passage une blessure à la tête. Comme la blessure nécessitait des points de suture, il fallut emmener la vieille dame aux urgences de l'établissement. Ensuite, l'incorrigible Albert, qui avait décidé de rejoindre une fois de plus l'univers imaginaire dans lequel il était Daniel Boone, feinta deux aides-soignants et une infirmière à l'aide d'un manche à balai avant qu'on ne puisse le maîtriser.

Lorsque Amanda eut enfin une minute à elle, Ian était parti. L'heure du déjeuner étant passée, elle décida de manger un sandwich sur le pouce dans la salle de repos avant de reprendre le travail. Enfin, après avoir travaillé une heure de plus que ne l'exigeaient ses horaires, elle rentra chez elle, rompue de fatigue.

Elle était en train de se changer quand un bruit de voiture attira son attention. Par la fenêtre, elle vit qu'il s'agissait du pick-up de Ian. Aussitôt, son moral remonta en flèche. Un coup d'œil dans le miroir lui montra sa natte un peu défaite. Tant pis ! Elle sortit.

— Salut. Qu'est-ce qui vous amène ici ?

— Je vous ai apporté une surprise.

Il fit le tour de son véhicule pour attraper quelque chose posé au pied du siège, côté passager.

Quand il se retourna, elle découvrit deux ravissants rosiers.

— Ils sont de toute beauté ! s'écria-t-elle.

Les roses étaient splendides, les unes de couleur pêche bordées de rose, les autres magenta mouchetées d'ivoire. Prenant garde aux épines, Amanda saisit une fleur par la tige pour en respirer le parfum, les yeux fermés. Cette odeur lui rappela l'air après la pluie. Lorsqu'elle rouvrit les yeux, Ian l'observait, un sourire au coin des lèvres.

— Alors, elles vous plaisent ?

— Enormément ! Et c'est en quel honneur ?

— Cela me fait plaisir. Mais l'idée vient en partie de Sami Jo. Elle s'en veut vraiment pour ce qui s'est passé l'autre jour à Knoxville. Vous vous sentez mieux ?

Amanda, émue, dut faire un effort pour que le souvenir de cette journée ne vienne pas gâcher le moment présent. Le souci que se faisaient pour elle Ian et Sami Jo la touchait beaucoup.

— Oui. Et Sami Jo n'a aucune raison de s'en vouloir, vraiment. Elle est adorable. Je l'aime beaucoup.

— C'est réciproque.

Ian lui effleura la joue.

— Moi aussi je vous aime beaucoup, ajouta-t-il d'une voix grave. Je ferais n'importe quoi pour vous voir tout le temps avec ce beau sourire.

Malgré elle, Amanda sourit de plus belle.

— Merci. Je vous aide à les planter ?

— Evidemment. Que croyez vous que je sois venu faire ici ?

— Je vais chercher des outils.

Elle avait posé sur l'appui de fenêtre de la remise les outils qui lui avaient récemment servi à tailler et diviser les iris. Amanda adorait les fleurs, bien qu'elle n'ait plus jardiné depuis l'enfance, où Granny lui avait appris les rudiments. Il faudrait qu'elle se perfectionne, et ce nouveau hobby lui semblait encore plus attrayant maintenant que Ian en faisait partie.

— C'est moi qui creuse, déclara celui-ci. Il ne faudrait pas que vous vous salissiez les ongles.

— Vous avez raison : ma manucure ne le supporterait pas ! ironisa-t-elle.

Pour des raisons pratiques, Amanda avait toujours les ongles courts et portait rarement du vernis.

— En tout cas, je ne veux pas d'infirmière avec de la terre sous les ongles. Où voulez-vous que je les installe ?

— Si nous les mettions de part et d'autre du perron ? Cela devrait être joli.

— Bien, patron !

Quand il eut terminé de creuser, Amanda disposa les rosiers et tassa la terre autour des racines. En un rien de temps, ils furent en place. Leurs fleurs avaient quelque chose de gai et d'accueillant, comme si elles souhaitaient la bienvenue à tous ceux qui gravissaient les marches du perron.

— Parfait ! dit Amanda en prenant du recul pour les admirer.

— Le résultat est vraiment joli, approuva Ian. Et maintenant, la suite.

— La suite ?

— Oui. Vous ne croyiez tout de même pas que je n'en avais apporté que deux ?

— Ian !

Il sortit de son pick-up un rosier ivoire et un autre d'un jaune vif, qu'il lui tendit afin d'en sortir deux autres, l'un d'un rouge profond, l'autre d'une teinte à mi-chemin entre le rose et le lilas.

Puis il referma sa portière d'un coup de pied et rit du regard faussement courroucé d'Amanda.

— C'est tout, je vous le promets.

— Vraiment, vous n'auriez pas dû.

— J'ai pensé qu'ils vous plairaient.

— Ils me plaisent, là n'est pas le problème.

— Alors où est le problème ?

Il se rapprocha, ses yeux d'un brun intense pétillant de malice.

Amanda ne savait plus quel parfum elle préférait des roses ou de son eau de toilette...

— Eh bien, euh...

En vérité, elle avait déjà oublié la question.

— Hum... Vous ne devriez pas dépenser autant d'argent pour moi, c'est tout ! Je vais vous rembourser.

— Sûrement pas ! Cet argent n'aurait pas pu être mieux employé.

Cramponné à ses rosiers comme à un bouclier, Amanda réussit à reprendre sa respiration et à reculer d'un pas.

— Ils sont vraiment splendides.

— Vous aussi.

Ian la rejoignit et déposa un baiser sur ses lèvres.

Rien qu'un. Après, j'arrête, se dit-elle en lui rendant son baiser.

L'ennui, c'était que les baisers de Ian avaient des vertus apéritives. Difficile de s'arrêter après le premier. Seul le risque d'écraser les roses la ramena à la raison.

— Je... euh... Je crois que nous ferions mieux de trouver une place pour ces rosiers.

— En effet.

Mais le regard de Ian indiquait clairement qu'il aurait volontiers fait tout autre chose...

Amanda choisit un endroit de la pelouse bien exposé au soleil du matin. Ian et elle étaient en train de creuser à tour de rôle quand elle se rappela soudain ce qu'elle voulait lui dire à propos de Lily.

— Dites-moi, Ian, Jolene s'appelait bien Bradford, n'est-ce pas ?

— Oui. Comment le savez-vous ?

— Lily Crenshaw, l'une de mes résidentes, m'en a parlé. Elle dit être parente avec Jolene, mais elle l'a appelée Jolene Kennedy. Mais elle perd un peu la tête ; elle pensait que Jolene et vous sortiez toujours ensemble.

Ian, qui était en train de tasser la terre, s'immobilisa et la regarda bien en face.

— Il y a bien longtemps que Jolene ne fait plus partie de ma vie. Et puis je ne sors avec personne. Sauf vous, évidemment.

— Je le sais. Je ne cherchais pas à prêcher le faux pour savoir le vrai. Si vous fréquentez d'autres femmes, cela ne me regarde pas.

Mais en disant cela, elle s'aperçut que cette éventualité déclencha aussitôt chez elle un sentiment de jalousie.

— Ce que je veux dire, reprit-elle d'un ton ferme, c'est que Lily a peut-être perdu la notion du temps. Elle pense que Jolene et vous êtes toujours au lycée. Par conséquent, je me demande si elle s'est aussi trompée concernant le nom de famille de Jolene. Et j'ai pensé que cela vaudrait peut-être la peine de vérifier.

Amanda vit une lueur d'espoir briller dans le regard de Ian. Si seulement elle pouvait l'aider à retrouver son fils ! Cependant, elle ne voulait surtout pas l'exposer à de nouvelles déceptions en lui indiquant une piste qui pouvait s'avérer fausse.

— J'aurais peut-être mieux fait de ne rien dire, ajouta-t-elle, soudain inquiète.

— Non ! Vous avez eu parfaitement raison de m'en parler. Cela ne coûte rien d'essayer. Il est fort probable que Jolene se soit mariée et ait changé de nom.

— Quel âge a votre fils à présent ?

— Seize ans.

Que d'années irrémédiablement perdues ! Ian avait manqué toute l'enfance de son fils. Quel gâchis !

Ian termina de tasser la terre et reprit, d'un air songeur :

— Si Lily ne s'est pas trompée sur le nom de Jolene, je me demande comment elle l'a appris. Elle s'appelle Lily Crenshaw, dites-vous ?

— Oui. Vous la connaissez ?

— Pépé la connaît sûrement.

— Dans ce cas, peut-être devriez-vous lui poser la question. De toute façon, nous pouvons toujours lancer une recherche sur Internet à partir de ce nom. Je voulais justement vous le proposer.

— Ah bon ?

— Oui. J'aimerais vous aider dans vos recherches. Si vous le voulez bien, évidemment.

— C'est très gentil de votre part. Mais je ne vois pas ce que nous pourrions faire que je n'aie déjà essayé, en dehors de ce dont nous venons de parler : rechercher une dénommée Jolene Kennedy.

— On ne sait jamais. A deux, on a plus d'idées.

Ils continuèrent leur travail en silence. Amanda cessa de penser à ses malheurs et à ceux de Ian pour se détendre et se concentrer sur l'instant présent. Le parfum capiteux des roses, allié à celui du terreau et de l'argile, dégageait une agréable senteur de terre et de vie. Les rayons du soleil baissaient, elle travaillait avec Ian et se sentait vivante, pour la première fois depuis des mois.

Les plantations terminées, elle prit du recul pour admirer le résultat.

— Il n'y a pas à dire : ma pelouse est magnifique ! Mais nous… Nous ne sommes pas beaux à voir !

Ses mains étaient couvertes de terre, des brins d'herbe s'étaient collés à ses genoux. Ian n'était guère plus reluisant.

— Je ferais mieux de porter un jean, au lieu d'un short, pour jardiner.

— Il ne faut pas avoir honte des travaux rudes et honnêtes. D'ailleurs, je vous trouve très bien en short.

Comme il regardait ses jambes, Amanda se sentit gênée.

— Merci. Au fait, vous avez de la terre sur le nez.

— Tiens ?

Plissant le nez, il ferma un œil et s'efforça de voir la tache en question avec une grimace comique.

— Au fait, vous en avez aussi, dit-il en lui effleurant le bout du nez d'un de ses doigts plein de terre.

Amanda lui mit en riant de la terre sur la joue.

— Et vous en avez sur la joue ! Et sur le menton !

— Oh, vous voulez jouer à ce petit jeu-là ?

D'un bond il se précipita sur elle. Amanda l'esquiva de justesse. Ils se pourchassèrent en riant autour du jardin, comme deux gosses. Mais ce fut Ian qui déclara ouvertement la guerre en prenant position près du robinet d'eau.

— Non ! Vous n'avez pas le droit ! s'écria Amanda en levant les mains en signe de reddition.

— Puisque nous sommes sales tous les deux, pourquoi ne pas prendre une petite douche ?

A ces mots, il ouvrit le robinet. Amanda s'enfuit en criant, mais le jet d'eau atteignit son dos avant qu'elle soit hors de portée.

— Là, mon vieux, vous m'avez bien cherchée, répliqua-t-elle en se retournant.

— Hé, que dites-vous de ça ?

Agitant le tuyau de bas en haut, il l'arrosa côté face.

Le jet était particulièrement froid. Un gros paquet d'eau vint s'écraser sur le T-shirt d'Amanda qui fonça sur Ian avec la hargne d'un arrière-ligne. Comme des enfants, ils se disputèrent le tuyau. L'eau coulait en tous sens, détrempant leurs vêtements. Ian perdit sa casquette dans la bataille. Lorsque Amanda parvint enfin à fermer le robinet, ils dégoulinaient d'eau tous les deux, essoufflés mais heureux.

Ian se précipita alors sur elle et la plaqua au sol.

— Tricheuse ! On n'a pas le droit de désarmer l'adversaire en supprimant les munitions !

— Qui a décrété ça ?

— Moi !

Il était couché sur elle, torse contre torse, coinçant ses jambes avec les siennes.

Amanda était hypnotisée par son regard, son contact, sa présence.

— Et qui a décrété que vous étiez mon adversaire ?

Elle ne songeait qu'à leur bagarre en posant cette question, mais sa voix avait soudain pris la forme d'un soupir plutôt suggestif.

Elle pensa brusquement aux baisers qu'ils avaient échangés pendant leur promenade en buggy. A ceux dont elle avait eu envie lorsqu'il l'avait poussée sur la balançoire. Ce jour-là, elle avait reculé au dernier moment, comme elle aurait dû le faire maintenant. Malheureusement, elle n'avait pas envie de s'en priver une fois de plus. Elle avait envie de Ian. Maintenant.

— Embrasse-moi.

Il s'exécuta en gémissant son nom et en plaquant tout son corps contre le sien. Amanda sentait son cœur battre sous celui de Ian. Malgré leurs vêtements glacés par l'eau, il lui communiquait la chaleur de son corps et elle soupira de plaisir en entrouvrant ses lèvres sous les siennes. Il lui caressa les épaules et passa une main sous sa nuque.

Elle lui répondit avec une ardeur qu'elle n'avait pas connue depuis longtemps. Comment résister à l'ivresse d'être avec cet homme qui semblait fait pour elle ? La raison d'Amanda capitulait sous ses baisers, ses caresses. Elle l'entoura de ses bras et posa de nouveau ses lèvres sur les siennes, d'abord par jeu, puis avec passion.

Elle ne voulait pas l'écouter, cette voix de la raison qui lui enjoignait d'arrêter immédiatement. Pas maintenant. Tant pis si elle allait au-devant d'une terrible peine de cœur. Elle aurait pourtant dû avoir des scrupules à infliger cela à Ian. A l'embrasser comme une femme follement amoureuse, une femme sans empêchement, sans limite, sans problème.

Elle n'avait pas le droit, puisqu'elle ne pouvait pas lui offrir ce qu'il cherchait. Même si en cet instant précis il ne semblait écouter que son désir, elle le savait plus sensible que cela. Si Ian Bonner ne lui avait pas encore donné son cœur, il n'allait pas tarder à le faire. Si elle n'arrêtait pas tout immédiatement, elle s'exposait elle-même à un grave danger, car il était si facile de tomber amoureuse de lui… De plus, si elle ne mettait pas fin à ces baisers brûlants qu'il était en train de déposer dans son cou, dans son décolleté, ils allaient finir par s'arracher leurs vêtements, là, sur la pelouse.

Ian s'approcha de ses seins qui pointaient avec arrogance sous son T-shirt mouillé. Il en prit un dans sa bouche, lui arrachant un gémissement. Aussitôt, elle eut l'impression que le sol tremblait sous elle.

— Ian…

Elle voulut le repousser mais ses mains, désobéissantes, se mirent à caresser son dos musclé, l'encourageant à continuer. Sa bouche brûlante faisait des merveilles et elle ne songeait plus qu'à ce qui allait irrémédiablement se passer.

Comme elle bougeait sous lui, elle sentit son sexe gonflé à travers son jean. Elle ne s'aperçut pas tout de suite qu'un autre objet s'enfonçait dans sa peau, sous elle, au niveau de son épaule droite.

— Attends, Ian, attends. Il y a quelque chose qui me rentre dans la chair.

Il eut un sourire suggestif qui la fit rire.

— Non, pas là. Ici.

Elle s'assit tant bien que mal. Ian la relâcha avec un soupir de frustration. En cherchant derrière elle, Amanda découvrit un objet incrusté dans l'herbe.

C'était une chevalière d'étudiant enfilée sur une chaîne cassée. Une bague d'homme apparemment, ornée d'une pierre d'onyx noire. Cette bague lui disait vaguement quelque chose et elle tenta de se rappeler où elle l'avait vue.

Mais Ian ne lui en laissa pas le temps. Il la saisit par le poignet, soudain blême, et s'empara de l'objet en tremblant violemment.

— Ian, que se passe-t-il ?

— Mon Dieu, murmura-t-il. Où as-tu trouvé ça ? Amanda, comment cette bague est-elle arrivée ici ?

Encore perdue dans la magie de leurs baisers, Amanda ne reprit pas tout de suite ses esprits. Mais sans lui donner le temps de répondre, Ian la secoua par les épaules, sans brutalité, mais suffisamment pour la surprendre.

Agacée par ce comportement pour le moins étrange, elle se dégagea de son étreinte.

— Qu'est-ce qui te met dans cet état ? s'écria-t-elle, furieuse.

Etait-il jaloux ? S'imaginait-il qu'elle s'était roulée dans l'herbe, ici-même, avec un autre, le propriétaire de la bague ?

Elle se mit à examiner la chevalière, où une date était gravée dans l'or patiné. Comme Ian la retournait pour examiner l'intérieur, elle se pencha pour la regarder de plus près et lire l'inscription.

« Ian Bonner ».

Les mains d'Amanda se mirent à trembler.

— Mon Dieu ! Cette bague appartient à Gavin, le garçon qui vient tondre la pelouse.

10.

Les oreilles de Ian se mirent à bourdonner, sa vision se troubla. Son fils, ici, à Boone's Crossing ? Cela ne pouvait tout de même pas être aussi facile.

Cette chevalière, il l'avait offerte à Jolene quand ils avaient commencé à sortir ensemble. Elle la portait au cou, au bout d'une chaîne, car elle était trop grande pour son doigt. L'aurait-elle donnée avec le bébé ? Non, c'était impossible ! Il devait y avoir une autre explication, mais laquelle ? Ian se leva sans quitter la bague des yeux. Au moment de sa rupture avec Jolene, il avait voulu la récupérer, car elle avait une certaine valeur.

— *Pas question que je te la rende, Ian !*

— *Pourquoi ? Pourquoi la garderais-tu, si ce n'est pour me faire enrager ?*

Néanmoins, Jolene n'avait pas voulu en démordre. Se pouvait-il qu'elle l'ait donnée aux personnes qui avaient adopté le bébé ? Etait-il plausible que ces gens l'aient gardée ? Voilà qui semblait bien improbable. Il se faisait sûrement des illusions et son imagination s'emballait. Les chances que le jeune homme qui tondait la pelouse d'Amanda soit son fils étaient encore plus minces que celles de le voir apparaître sur-le-champ.

— Ian ?

La voix d'Amanda lui parvint à travers un brouillard.

Elle était là, dans ses vêtements mouillés, avec de l'herbe collée à la peau, et elle le regardait d'un air inquiet.

— Excuse-moi, Amanda. Je ne voulais pas être aussi brutal.

— Ce n'est pas grave. Dis-moi plutôt ce qui se passe. Si… si cette bague appartient à Gavin… cela signifie-t-il qu'il est… ton fils ?

En entendant Amanda formuler ses pensées à haute voix, Ian se rendit soudain compte du ridicule de cette éventualité. Ce genre de miracles n'existait que dans les films.

— Cela m'étonnerait, soupira-t-il. J'ai donné cette bague à Jolene il y a bien longtemps. Elle a refusé de me la rendre lorsque nous avons rompu. Je n'ai jamais su pourquoi. Mais je crois que je comprends mieux à présent.

Si seulement cela pouvait être vrai ! Il aurait aimé croire qu'elle avait transmis la bague à son fils, mais c'était impossible, bien sûr.

— Elle a dû la vendre. Elle se débrouillait parfois pour se procurer de l'argent sans avoir à travailler.

— Cela ne nous dit pas comment elle serait arrivée entre les mains de Gavin, fit observer Amanda. Pourquoi un adolescent porterait-il sur lui la chevalière d'étudiant d'un autre, surtout à son cou, sauf si elle avait pour lui une signification particulière ? Franchement, si Jolene l'avait vendue, il y aurait bien peu de chances pour qu'elle soit encore dans le secteur. Ce serait une coïncidence incroyable.

— Et découvrir que Gavin est mon fils et qu'il se trouve justement ici, à Boone's Crossing, ne serait-ce pas aussi une incroyable coïncidence ? demanda Ian, qui sentait renaître l'espoir. Je… je ne sais plus que penser. Que dois-je faire ?

144

Il prit Amanda par le bras, mais avec douceur cette fois.

— Tu es trempée, je suis trempé. Si nous allions nous sécher avant de réfléchir plus calmement à tout cela ?

Mais comment pourrait-il retrouver son calme ? Il tremblait de tout son corps et bouillait d'impatience. Il fallait absolument qu'il contacte ce garçon, ce Gavin, et voie par lui-même s'il y avait des chances pour que...

Mais mieux valait ne pas fonder de trop grands espoirs. Pas après toutes ces années. Il avait tant de fois fait chou blanc qu'il avait pratiquement renoncé.

— J'ai des serviettes à profusion, dit Amanda. Viens. Je vais faire du café.

Quelques minutes plus tard, ils étaient attablés devant deux grandes tasses de café. Amanda avait enfilé des vêtements secs et Ian s'était séché de son mieux. Qu'importe si son jean lui collait aux jambes. Il n'avait d'yeux que pour la bague, qu'il tenait à deux mains, presque avec vénération, la penchant tantôt d'un côté, tantôt de l'autre. Les facettes de la pierre lui envoyaient des clins d'œil complices. En dehors de quelques brins d'herbe collés à la monture, la bague était propre et brillait, comme si elle avait été entretenue. Cela contredisait donc sa seconde hypothèse, selon laquelle elle serait restée dans la terre pendant des années avant de refaire surface.

— Tu peux le joindre ?

Amanda semblait bouleversée, comme si elle souhaitait vraiment, tout autant que lui, que Gavin soit son fils.

— Qui ? Gavin ? Je n'ai pas son numéro.

— Comment as-tu fait pour lui demander de venir tondre chez toi ?

— Un jour, peu de temps après mon arrivée, il est passé par ici et m'a demandé si je désirais faire tondre ma pelouse. Comme j'étais débordée, j'ai tout de suite accepté.

— Et ensuite ?

— Nous avons convenu qu'il viendrait tondre une fois par semaine. Généralement, il vient le mardi.

On était mercredi.

Ian rangea la chaîne dans sa poche et voulut enfiler la bague. Hélas, il avait forci depuis l'adolescence. Gavin était-il maigre et dégingandé, ou bien avait-il de trop gros doigts ?

— Elle ne doit pas être à sa taille, murmura-t-il, rêveur.

— Sûrement. J'ai remarqué qu'il portait toujours une chaîne à son cou, mais je n'ai jamais fait attention à ce qu'il y avait au bout. A l'heure qu'il est, il a dû se rendre compte qu'il l'avait perdue.

— Effectivement. Et il va peut-être venir la chercher.

A moins qu'il ignore où il l'avait perdue…

— Comment se fait-il que je ne l'ai jamais vu s'il vit ici, à Boone's Crossing ?

— Il n'habite pas ici. Tu te rappelles quand je t'ai parlé de lui, et de son cousin Delbert qui s'amusait à nourrir Skippy, mon petit écureuil ? Delbert Brock habite ici. Gavin est venu chez lui en vacances. Il m'a dit tondre des pelouses pour se faire de l'argent de poche.

Ian buvait chacune de ses paroles.

— Donc, il suffit de chercher les Brock dans l'annuaire. Tu en as un ?

— Je vais le chercher.

L'annuaire couvrait Boone's Crossing et ses environs. D'une main fébrile, Ian chercha dans les « B ». Hélas,

146

pas l'ombre d'un Brock. Déçu, il chercha ce nom dans les autres petites villes.

Rien.

— Il n'y est pas.

— Essaie les renseignements, proposa Amanda en lui tendant le téléphone.

Une voix préenregistrée informa Ian que le numéro demandé était sur liste rouge. Il raccrocha.

— Tu sais quoi ? Puisqu'il vient tous les mardi, je vais attendre mardi prochain. Quand il sera arrivé, tu m'appelles et je viens !

Pris d'un élan soudain, il déposa un baiser sur les lèvres d'Amanda.

— Amanda, je t'aime !

Etait-ce bien vrai ? Peut-être. Il l'ignorait. Pour le moment, trop d'émotions bouillonnaient en lui.

Amanda rougit et fit la grimace.

— Ne t'emballe pas trop vite. Parce que je doute que tu m'aimes encore lorsque je t'aurai dit ce que j'ai dit à Gavin hier.

— Quoi ?

— Je lui ai demandé de ne plus venir.

— Quoi !

— Je lui ai dit que désormais je m'occuperai moi-même de la pelouse. J'ai pensé que c'était une façon d'occuper intelligemment mon temps, et que j'allais même peut-être créer un jardin de fleurs, voire un petit potager. Voilà pourquoi tes rosiers tombaient à pic. Oh, Ian, si j'avais su…

— Ce n'est pas grave. Tu ne pouvais pas deviner.

En passant une main dans ses cheveux, Ian s'aperçut qu'il avait oublié sa casquette dehors. Puis il contempla son café comme si la réponse à toutes les questions qu'il se posait depuis quelques minutes se trouvait au fond de la tasse.

— Promets-moi d'être raisonnable, dit Amanda en posant une main sur la sienne. Je ne voudrais pas que tu te montes la tête au cas où Gavin ne serait pas ton fils.

Elle avait raison, bien sûr. Mais il voulait croire que Gavin était celui qu'il cherchait depuis si longtemps. Il le voulait plus que tout.

— Je sais. Tout cela semble si irréel. Il faut que j'aille récupérer ma casquette.

Ian se leva puis, consultant sa montre :

— La soirée est déjà avancée et tu travailles demain. Je suppose que tu as hâte de dîner et d'aller te coucher.

— Tu n'es pas obligé de partir en courant.

— Il faut que j'aille nourrir mes bêtes.

Ian éprouvait soudain le besoin d'être seul. Il glissa la bague dans sa poche et sortit, suivi de près par Amanda.

— Si c'est ce que tu préfères, dit-elle pendant qu'il ramassait sa casquette.

Puis elle l'aida à empiler les containers vides des rosiers.

Les avaient-ils vraiment plantés ce soir ? Depuis qu'il avait découvert la bague, Ian avait l'impression qu'une éternité s'était écoulée. Peut-être passerait-il voir pépé avant de rentrer chez lui, pour lui parler de cette découverte.

Tout en portant les containers jusqu'à la poubelle, Ian jeta un coup d'œil sur le sol. Malgré l'herbe courte, fraîchement tondue, il reconnut l'endroit où il s'était étendu avec Amanda et se rappela son corps suave et chaud sous lui, son T-shirt mouillé qui ne laissait plus aucune place à l'imagination… Il s'était laissé emporter, il le savait. Mais il n'arrivait pas à le regretter.

— Je passerai à la maison de repos demain. Je dois prendre le linge sale de pépé, dit-il avant de partir.

— D'accord. Et encore merci pour les rosiers. Ils me plaisent vraiment beaucoup.

— Je t'en prie.

Ian monta dans son pick-up, répondit aux signes d'adieu d'Amanda et s'engagea sur la route, l'esprit agité de mille pensées.

— Incroyable, déclara pépé en contemplant la bague. Le destin nous joue parfois de sacrés tours, pas vrai ?

— Certes, dit Ian. Mais j'ignore encore si cette bague nous mènera quelque part.

— Il n'y a qu'un moyen d'en avoir le cœur net. Tu retrouves ce garçon, tu vois qui c'est et tu lui demandes ce qu'il a à te dire à propos de cet objet.

— Pépé, est-ce que tu te souviens de Lily Crenshaw ?

— Certainement. Elle est ici, tu sais.

— Amanda m'a rapporté qu'elle l'avait entendu parler de Jolene sous un autre nom de famille.

Pépé se fendit alors d'un sourire pareil à ces sourires édentés que l'on creuse dans les citrouilles au moment d'Halloween.

— Tu sais, mon garçon, nous sommes sortis ensemble autrefois, avant que je ne rencontre ta grand-mère. Je veux dire Lily et moi. C'est encore une belle femme, avec ses longs cheveux blonds.

— Ils doivent plutôt être blancs, tu ne crois pas ?

Ian ne pouvait s'empêcher de taquiner son grand-père, même s'il n'était guère d'humeur à plaisanter pour le moment.

— Platine, mon garçon, ils sont platine, comme ceux de Marilyn Monroe. Si tu avais vu quelle fille c'était !

Lorsqu'elle marchait, on aurait dit deux lynx se bagarrant dans un sac de toile.

Ian éclata de rire. Il était toujours difficile de rester morose en présence de pépé.

— Donc, Lily était ta Marilyn.

— Non, juste une amusette avant que je ne rencontre Opal. Toujours est-il que je n'avais pas vu Lily depuis un moment. Elle a quitté Boone's Crossing en 1989 ou 1990. Elle est revenue il y a quelque temps, après la mort de son mari. J'avais pratiquement oublié qu'elle était la grand-tante de Jolene.

De nouveau, Ian reprit espoir.

— Mon garçon, reprit pépé, soudain grave. Lorsque je t'ai conseillé d'abandonner ton fils, je pensais que c'était la meilleure solution. Et je le pense encore aujourd'hui. Mais si tu veux le retrouver, alors vas-y. Si je peux t'aider, je t'aiderai. Je peux parler à Lily, pour voir ce qu'elle sait.

Ian tapota la main de son grand-père. Il était toujours heureux de trouver un moyen pour que le vieil homme se sente utile.

— Tu me rendrais un grand service, pépé. Moi, je vais rentrer à la maison et voir ce que je peux trouver sur Internet.

— Tu risques de découvrir quelque chose. On dit que le Web est vaste.

— C'est vrai pépé. Je t'apporte des beignets demain matin, qu'en dis-tu ?

— Au chocolat ?

— Oui.

— Marché conclu. Fais bien attention à toi, mon garçon. Ne laisse pas le passé gâcher ton avenir.

— Je te le promets.

Les dernières paroles de son grand-père le hantèrent durant tout le trajet du retour. Sa vie actuelle était-elle vraiment l'otage de son passé ?

Le visage d'Amanda surgit devant ses yeux. Cette fille-là savait embrasser. Elle avait aussi l'art de troubler un homme… Cependant, elle pensait n'être pas faite pour lui, et quant à ce qu'elle avait dit concernant sa décision de ne pas vouloir d'enfant, il pouvait difficilement la contredire. Pourtant, comment oublier ce qu'il éprouvait pour elle ? Peut-être que s'il retrouvait Gavin, et si Gavin était bien son fils, son passé le laisserait enfin tranquille et il pourrait se tourner vers l'avenir avec sérénité.

Amanda était installée devant son ordinateur. La migraine qui avait débuté peu avant le départ de Ian battait sous ses tempes. A côté d'elle, son café, qu'elle n'avait pas bu, était froid.

Elle ne voyait qu'un seul moyen d'aider Ian, en dehors d'interroger directement Gavin. Sur le site de la compagnie téléphonique locale, dans la rubrique « rechercher », elle tapa « Jolene Kennedy ». Le moteur de recherche demandait aussi l'état et, facultativement, la ville ciblée.

Amanda essaya le Tennessee. « Désolé, nous n'avons pu trouver la personne que vous recherchez ».

Elle essaya alors le Kentucky, puis la Virginie. Passant en revue la liste de tous les Etats, elle se rendit compte de la vanité de ses recherches. Jolene pouvait habiter n'importe où. Elle pouvait même être sur liste rouge, comme les Brock. En cherchant sans le prénom, elle obtenait des réponses sans nombre. Si elle devait vérifier tous ces numéros un par un, dans tous les Etats-Unis, elle n'était pas au bout de ses peines !

En soupirant, elle leva les yeux vers la pendule et fut surprise de voir comme le temps s'était écoulé. Après avoir éteint son ordinateur, elle se dirigea vers la salle de bains. Peut-être qu'un séjour prolongé dans l'eau chaude la débarrasserait de cette migraine et l'aiderait à y voir plus clair ?

Une fois dans son bain, au milieu des senteurs végétales de son huile de bain, des souvenirs de Ian l'assaillirent. Sa bouche brûlante et avide. Son sexe gonflé contre son corps. Le désir qui s'était emparé d'elle. Elle s'était pourtant promis de ne pas sauter le pas avec lui, décrétant qu'elle n'était pas prête pour une relation un tant soit peu sérieuse.

Alors pourquoi l'espoir d'un avenir plus radieux s'immisçait-il en elle ? Chaque fois qu'elle était en présence de lui, elle se sentait mieux. Elle ressentait moins de tristesse, moins de craintes.

Difficile de s'en tenir à ses bonnes résolutions, de garder ses distances vis-à-vis de lui, alors que son cœur avait déjà fait son choix : elle était amoureuse de Ian Bonner.

Conformément à ce qu'il avait dit, Ian vint rendre visite à Zeb le lendemain. Amanda était dans son bureau lorsqu'il passa la tête par la porte ouverte.

— Bonjour.

Il semblait n'avoir pas beaucoup dormi. Elle compatissait, ayant elle-même passé la nuit à se retourner dans son lit, songeant à toutes sortes de choses, à Ian, à Gavin, à son passé.

Elle lui fit signe d'entrer.

— Ferme la porte, s'il te plaît.

Ian s'exécuta en haussant un sourcil interrogateur, avec son sens de l'humour habituel.

— Aurais-tu l'intention de me sauter dessus ? Ou préfères-tu essayer de nouveau sur l'herbe ?

— Pas aujourd'hui, répondit-elle sèchement, en s'en voulant aussitôt de la dureté de son ton.

Ian reprit son sérieux.

— Je n'ai pas cessé de penser à toi cette nuit. Et à la bague.

— Moi aussi.

Elle pivota sur son fauteuil pour lui faire face. Il s'était assis sur un coin du bureau, muni d'une boîte de beignets.

— Je me suis permis de chercher Jolene Kennedy sur le Net, laissa-t-elle tomber.

A ces mots, il eut l'air si plein d'espoir que cela lui fendit le cœur.

— Malheureusement, je n'ai rien trouvé.

— Moi aussi j'ai commencé à chercher, mais j'étais trop fatigué pour me concentrer sur quoi que ce soit. Je suis resté éveillé la moitié de la nuit, à penser à tout cela. Comment est-il ? Je veux dire, comment est Gavin ?

— Il ne te ressemble pas, je le crains. Mais c'est un beau garçon. Il a les cheveux châtains, presque blonds. Il est très grand, dans les 1,90 mètre. Mais j'ignore totalement la couleur de ses yeux. C'est tout de même incroyable de penser que l'on a parlé à une personne en la regardant en face sans même faire attention à la couleur de ses yeux.

Une petite voix lui rappela cependant qu'elle avait tout de suite remarqué la couleur des yeux de Ian… Un détail qu'elle ne risquait certes pas d'oublier.

Ian l'écoutait en décrivant machinalement des cercles sur la boîte de beignets.

— Je me suis probablement emballé pour rien. Il doit y avoir une autre explication au fait qu'il se soit trouvé en possession de ma chevalière.

— Cependant, comme tu l'as dit, il est possible qu'il vienne la chercher.

— Oui… Tu sais, j'y ai pensé et je me suis demandé ce que je pourrais bien lui dire, même si j'avais son numéro de téléphone. « Salut, je suis ton père » ?

Amanda lui prit la main, dans un geste d'encouragement. Mais ce contact lui donna envie de se sentir à nouveau dans ses bras, et elle retira vivement sa main.

— Tu vas y réfléchir. Si tu veux, tu peux même aller parler avec Lily, pour voir si elle sait vraiment quelque chose concernant Jolene ou l'endroit où elle habite.

— La famille de Jolene n'a jamais voulu entendre parler de moi. Peut-être Lily est-elle dans le même cas.

— Mais peut-être que non. Tu ne risques rien d'essayer.

— Pépé m'a dit qu'il allait s'entretenir avec elle. Cela marchera sans doute mieux.

Soudain, son regard s'éclaira.

— L'autre jour, j'essayais de me rappeler le nom de l'avocat chargé de l'adoption. Il me semblait que c'était quelque chose comme Beck ou Breck, mais c'est peut-être Brock.

— Mais il n'a pas lui-même adopté ton fils ?

— Non, c'est vrai. Tu as raison. Il doit s'agir d'une simple coïncidence.

— Tu sais, la vie est parfois plus incroyable que la fiction.

On frappa à la porte. Amanda alla ouvrir.

— Excusez-moi de vous déranger, dit Roberta. Salut, Ian. Amanda, le docteur Tomkins voudrait te parler.

— Merci, Roberta.

— Je reviens tout à l'heure, dit Ian. Je vais voir ce que mijote pépé, et lui prendre son linge sale.

Puis, désignant la boîte de beignets :

154

— Tu en veux un ?

Cette fois, elle accepta, incapable de résister à la tentation du chocolat. Quant à la tentation de suivre son cœur et d'aimer vraiment Ian, il était encore plus difficile d'y résister.

Puis elle se concentra sur ce que lui disait le Dr Tomkins. Vers la fin de leur conversation, ce dernier lui annonça une chose qui la fit de nouveau songer à Ian :

— L'hôpital organise une collecte de sang la semaine prochaine. J'aimerais voir toutes mes infirmières montrer l'exemple.

Types de sang, liens du sang… Elle espérait de tout son cœur que Gavin soit bien le fils de Ian et que ce dernier en ait le cœur net le plus tôt possible.

Il ne restait plus qu'à mettre la main sur Gavin.

11.

Après sa visite à la maison de repos, Ian rentra directement chez lui. Il n'avait pas exagéré en disant à Amanda qu'il n'avait pas fermé l'œil de la nuit. Pourvu que pépé obtienne quelques informations de Lily Crenshaw. S'il parvenait à retrouver Jolene, peut-être accepterait-elle enfin de répondre à ses questions, si toutefois elle connaissait les réponses.

Il profitait de sa pause déjeuner pour faire la lessive de pépé lorsque le téléphone sonna. Il se précipita pour décrocher dans l'espoir que ce serait Amanda. Peut-être avait-elle parlé avec Lily ou appris quelque chose par pépé !

— Atelier Bonner, j'écoute ?

— Salut, Ian, fit Neil à l'autre bout du fil. Ça marche toujours pour samedi ?

Ils avaient prévu d'emmener les Cumberland Cubs camper près d'un site historique local. Là, sur les terres du domaine public, on trouvait souvent des pointes de flèches sur les berges de la rivière.

— Evidemment. J'ai hâte d'y être.

Ce week-end d'exercice au grand air lui permettrait peut-être d'y voir plus clair concernant ce qui s'était passé la veille entre Amanda et lui.

— Au fait, comment va Troy ? Cela fait un moment que je ne lui ai pas rendu visite.

— Il se remet bien. Il voulait venir avec nous, mais Patricia n'a rien voulu savoir. Elle craint qu'il ne fasse encore des imprudences, même avec ses béquilles.

— Elle n'a pas tort ! Ce sera pour la prochaine fois.

Ian avait prévu de rendre visite à Troy dans la semaine. Le gamin était déjà suffisamment contrarié de ne pas participer aux sorties des scouts alors que l'été pointait déjà son nez. Peut-être Amanda aimerait-elle lui rendre visite, elle aussi.

Pour en avoir le cœur net, il l'appela au travail. Pendant qu'il attendait au téléphone, il l'imagina dans son bureau, très professionnelle dans son uniforme d'infirmière. Il n'aurait certes pas refusé de jouer au docteur avec elle…

— Ian ? Tu as du nouveau ?

— Heu… non, non.

Revenant sur terre, Ian lui expliqua comment Troy allait manquer la prochaine expédition des scouts.

— Je me suis dit que j'irais lui remonter le moral tout à l'heure. Tu veux m'accompagner ?

— Avec plaisir. Je te rejoins chez toi ?

— Parfait.

Il lui indiqua comment s'y rendre et convint d'une heure avec elle. Il hésitait à raccrocher tant la voix d'Amanda semblait suave et douce à ses oreilles et lui rappelait ce qu'il avait éprouvé dans l'herbe en sentant son corps sous le sien…

— J'ai hâte d'y être, ajouta-t-il.

— Moi aussi. A tout à l'heure.

Ian ferma l'atelier de bonne heure afin d'avoir le temps de faire un peu de ménage chez lui, de se doucher et de terminer la lessive de pépé. Lorsque Amanda arriva, les cheveux détachés, vêtue d'une ravissante robe à fleurs et chaussée de sandales, il ne put s'empêcher de la prendre dans ses bras pour l'embrasser.

— Tu es radieuse.

— Merci.

Elle recula en rougissant. Il la sentait hésitante, comme si elle ne savait plus comment se comporter avec lui.

Devait-il s'excuser de lui avoir pratiquement arraché ses vêtements, ou faire comme s'il ne s'était rien passé ?

— Entre.

Elle entra, suivie de près par Cuddles. Après avoir caressé le chien, elle s'arrêta pour admirer le salon. Ian se rappela le jour où il l'avait imaginée venant chez lui. Trouverait-elle son intérieur suffisamment présentable ?

— C'est joli chez toi. J'adore les vieilles fermes. Celles que l'on bâtit aujourd'hui n'ont rien de comparable.

— En effet.

Ce compliment qui semblait sincère lui fit chaud au cœur. Lui aussi adorait sa vieille ferme. Sans être extraordinaire, elle était confortable et pleine de souvenirs.

— Tu veux boire quelque chose avant de partir ?

— Non, ça ira, merci.

— Qu'est-ce que tu as apporté ? demanda-t-il en désignant un sac en plastique qu'elle portait à la main.

— Un modèle réduit de voiture que j'ai acheté pour Troy. J'ai pensé que cela l'aiderait à passer le temps.

— Bonne idée.

Cette attention ne le surprenait aucunement venant d'Amanda. C'était une des qualités qu'il admirait en elle. Il aurait dû, lui aussi, penser à apporter un petit cadeau à Troy. Mais il est vrai que ces derniers temps, ses pensées étaient légèrement désorganisées.

— As-tu réussi à savoir si pépé a pu s'entretenir avec Lily ?

— Je ne crois pas qu'il ait eu l'occasion de le faire. Comme elle était un peu faible, Lily n'a pas quitté sa chambre aujourd'hui. J'ai bien pensé aller la voir, mais la pauvre avait tellement besoin de repos que je n'ai pas voulu l'embêter avec mes questions.

— Ce n'est pas grave. J'attendrai.

Mais Ian eut bien du mal à cacher sa déception. Il avait passé la journée dans l'attente du moment où il retrouverait Amanda, mais aussi dans l'espoir d'obtenir enfin des informations lui permettant de retrouver Gavin, ou du moins de lever quelques pans du mystère.

— Comment vas-tu ? Je me suis fait du souci pour toi aussi, reprit-il en s'efforçant de sourire.

— Pour moi ? Tu n'as aucune raison de t'en faire.

— Tu sais bien que c'est faux. Tu traverses une période difficile, et je crains d'avoir été très égoïste en faisant passer mon besoin de retrouver Gavin avant ce que tu pouvais éprouver.

— Ne dis pas de bêtise. Moi aussi j'ai envie de le retrouver, surtout si c'est ton fils.

— Je sais, mais en te demandant de m'aider à le chercher j'ai peur de réveiller certains de tes mauvais souvenirs.

— Tu ne m'as rien demandé du tout. C'est moi qui t'ai proposé mon aide. Tu as déjà oublié ?

Puis, posant une main ferme, douce et chaude sur sa joue, elle ajouta :

— C'est vrai, je suis encore fragile, mais cela ne veut pas dire que je t'en voudrais de retrouver ton fils.

Dans une légère caresse, Ian fit courir ses doigts le long du bras d'Amanda. Elle était exactement la femme qu'il cherchait. Si seulement elle avait, elle aussi, envie de fonder une famille. Il aurait donné n'importe quoi pour remonter le temps et lui rendre ce bébé qu'elle avait perdu. Mais peut-être que l'épreuve qu'elle avait subie allait déboucher sur quelque chose de positif, et renforcer leurs liens ?

— Je n'ai jamais rencontré une femme comme toi, dit-il en lui embrassant la main avant de la relâcher.

— Dois-je le prendre comme un compliment ?

Ian éclata de rire.

Amanda lui sourit et s'éloigna de lui, comme si elle cherchait à garder ses distances. Elle jeta un coup d'œil circulaire autour d'elle. Parmi les photos de famille accrochées au mur, près de la porte d'entrée, une ancienne photo de mariés retint son attention.

— Ce sont Zeb et sa femme, je suppose ? demanda-t-elle en s'approchant.

— Exact. Leur photo de mariage, prise il y a soixante-dix ans !

— Mon Dieu !

Elle porta une main à sa gorge.

— Les yeux de Zeb... la forme de sa bouche ! s'écria-t-elle d'une voix tremblante.

— Eh bien ?

— Quel âge a-t-il sur cette photo ?

— Dix-sept ans. Pourquoi ?

— Gavin a les mêmes yeux ! Et exactement la même bouche. Lorsqu'il sourit, il ressemble énormément à Zeb sur cette photo. J'en ai la chair de poule !

Elle n'était pas la seule. Ian frissonna.

— Tu en es sûre ?

— Absolument. Je ne l'avais pas remarqué auparavant, mais Zeb paraît si jeune, si différent sur cette photo... Et, bien que ce cliché soit en noir et blanc, je me rappelle maintenant que Gavin a les yeux bleus, comme ton grand-père.

Le cœur de Ian se mit à battre sourdement dans sa poitrine. Il désirait tellement que ce soit vrai, que Gavin ressemble à Zeb. Mais le fait qu'il ait les yeux bleus ne prouvait rien.

— J'imagine combien tu es impatient de retrouver Gavin. Si tu veux, nous pourrions retourner à Shade Tree Manor après notre visite chez Troy, lui proposa Amanda. Peut-être Zeb aura-t-il eu l'occasion de parler à Lily entre-temps.

— Cela vaut le coup d'essayer. De toute façon, j'avais l'intention d'y passer pour rapporter son linge à pépé.

Troy fut enchanté de leur visite et encore plus du cadeau d'Amanda.

— Super ! J'adore ces modèles réduits ! J'en ai déjà fait des tas, mais celui-là, je ne l'avais pas.

— Eh bien, tu l'as, maintenant, dit Amanda. Ta maman est là ?

— Elle sera là dans un quart d'heure. Elle est partie conduire ma sœur chez sa meilleure copine. Elles organisent une vente de cookies faits par les girls scouts.

— Cela ne risque pas de la contrarier si nous attendons son retour ? Cela m'ennuie de te savoir tout seul, mon vieux.

Ian venait d'exprimer tout haut ce que pensait Amanda. A neuf ans, Troy était suffisamment grand pour rester seul à la maison un petit moment. Mais actuellement, alors qu'il se déplaçait à l'aide de béquilles, il pouvait lui arriver n'importe quoi.

— Non, elle ne dira rien, répondit l'intéressé. Asseyez-vous. Vous voulez signer mon plâtre ?

— Plutôt deux fois qu'une !

Après avoir griffonné un message optimiste, Amanda passa le stylo à Ian.

Celui-ci ne tarda pas à faire rire Troy par les mimiques qu'il faisait en improvisant un petit poème. Puis ils se mirent

161

à parler de leur équipe de basket préférée, laissant Amanda à ses pensées. Où était donc le père de Troy ? Autour d'elle, Amanda n'aperçut aucune photo de famille, en dehors des portraits de Troy et de sa sœur Tara, pris à l'école. Aucun signe d'une présence masculine dans la maison. Près de la porte, sur le paillasson, les seules chaussures visibles étaient une paire de petites tongs vertes et des tennis qui semblaient être ceux de Troy.

Dans le séjour traînaient des objets quotidiens et banals. Sur la table basse, à côté des journaux et magazines, un volume de Harry Potter aux pages bien cornées et une Barbie aux cheveux teints dans un rose assorti à sa tenue scintillante. Entre la cuisine et le séjour, une table ronde et ses quatre chaises. Sur le dossier de l'une d'entre elles, une blouse brodée au nom de « Patricia ».

Patricia Stoakes arriva quelques minutes plus tard, jonglant avec un carton de bocaux vides tout en ouvrant la moustiquaire d'un coup d'épaule.

— Bonjour tout le monde ! Amanda, Ian… Comment allez-vous ?

Son sourire chaleureux mit tout de suite Amanda à l'aise. Ian se précipita pour la débarrasser du carton.

— Tu as toujours ton propre potager ? demanda-t-il.

— Certainement ! Mets les bocaux là-bas, sur la table, je te prie. Je les ai achetés l'autre jour aux puces et je les avais oubliés dans le coffre de la voiture. Je ne veux pas risquer d'être à cours au moment des conserves d'automne.

Tandis qu'elle bavardait, Amanda ne put s'empêcher d'éprouver de l'admiration pour elle, au fur et à mesure qu'elle la découvrait. Patricia élevait effectivement seule ses enfants. Elle travaillait comme coiffeuse à temps complet au salon The Last Tangle. Malgré cela, elle trouvait encore du temps à consacrer aux diverses activités de ses enfants, qui faisaient partie, entre autres, de deux troupes de scouts et de deux équipes de football différentes. Le fait qu'elle s'occupe en plus de son propre potager et fasse elle-même ses confitures et ses conserves de légumes laissait Amanda songeuse. Comment se débrouillait-elle ? Cette femme méritait vraiment une médaille.

Prise d'une étrange nostalgie, Amanda essaya de se ressaisir. Non, elle n'enviait pas le rôle de mère de Patricia. Pourquoi l'aurait-elle envié, d'ailleurs, puisqu'elle n'avait pas l'intention d'avoir des enfants ?

Après avoir discuté encore quelques minutes, Ian et elle firent leurs adieux à Troy et à sa mère, et Amanda regagna la voiture sans dire un mot.

— Quelque chose ne va pas ? s'inquiéta Ian au bout d'un moment.

— Non, pas du tout. Je me disais simplement que Patricia était une mère exceptionnelle.

— Ça, tu peux le dire, approuva Ian en souriant.

Amanda eut beau lui rendre son sourire, elle avait perdu son entrain. Un sentiment familier, mélange d'obscurité et de vide s'était de nouveau emparé d'elle. Le même qui la hantait chaque fois qu'elle songeait à Nikki, Cody et la petite Anna.

— Ma sœur aurait fait une mère merveilleuse. Et Cody était tellement heureux d'être père, murmura-t-elle brusquement, la gorge nouée.

Comme ils étaient arrêtés à un stop, Ian se tourna vers elle et la regarda au fond des yeux.

— Toi aussi tu ferais une bonne mère, Amanda. Tu ne devrais peut-être pas renoncer aussi vite. Ta vie ne me regarde pas et je n'ai pas oublié ce que tu m'as dit. Mais je pense que tu devrais attendre encore un peu avant de décider aussi catégoriquement de ne plus jamais avoir d'enfant.

163

— Je n'ai pas besoin de réfléchir plus longtemps, lâcha Amanda, agacée.

Elle savait pourtant, qu'il ne parlait que pour son bien, mais elle ne désirait pas entamer une discussion à ce sujet maintenant.

— Ta sœur et son mari n'ont jamais envisagé d'adopter un enfant ? insista-t-il cependant.

— Les enfants ne sont pas comme les animaux de compagnie. On ne remplace pas un enfant en en adoptant un autre.

— Ce n'est pas ce que je voulais dire.

Ian prit un air soucieux pour cacher sa contrariété, et Amanda eut aussitôt honte de lui avoir répondu aussi sèchement.

Il n'avait pas cherché à insinuer quoi que ce soit et avait de l'affection pour elle, elle le savait. A cette dernière pensée, son cœur se mit à battre plus vite, à la fois de peur et de joie, car elle sentait bien que la compagnie de Ian lui devenait chaque jour un peu plus indispensable. Combien de fois s'était-elle dit qu'il fallait tout arrêter avant qu'il ne se passe quelque chose ? Et combien de fois n'avait-elle pas fait la sourde oreille aux conseils de la raison ? Mais peut-être allait-elle l'écouter cette fois, en prenant ses distances ? Quoi qu'il en soit, elle ne voulait en aucun cas faire de la peine à Ian et se fâcher avec lui.

— Excuse-moi. Je sais que tu ne cherchais pas à insinuer quoi que ce soit.

Si Gavin s'avérait être le fils de Ian, peut-être qu'une nouvelle relation allait se développer entre eux. C'est ce qu'elle souhaitait de tout cœur, aussi bien pour eux que pour elle. En passant du temps avec Gavin, Ian songerait encore plus à ce qu'il avait perdu en abandonnant son fils, et il se rendrait compte que sa vie n'était pas avec une femme qui ne voulait pas d'enfant.

Lorsqu'ils arrivèrent à la maison de repos, Zeb mangeait de la compote de pomme en regardant des clips de musique country à la télévision.

— Cette Shania Twain, quel joli morceau. Elle m'emmène pour une chevauchée sauvage quand elle veut, déclara-t-il en dévoilant son sourire édenté.

— Pépé, pas de commentaires grivois devant les dames !

— Mais regarde donc l'écran mon garçon. Tu vois bien qu'elle est sur une moto. Qu'allais-tu imaginer encore ?

Incapable de résister plus longtemps, Amanda éclata de rire.

— Oh, Zeb, vous êtes vraiment incroyable. Je regrette de ne pas avoir un grand-père comme vous.

— Et moi je serais fier de vous avoir pour petite-fille, mon enfant. Au fait, que faites-vous ici tous les deux à une heure pareille ?

— Nous nous demandions si tu avais parlé à Lily, dit Ian en commençant à déballer le linge propre.

— Eh bien, il se trouve que oui. Mais j'ignore si cela vous sera de quelque utilité. Lily m'a dit que Jolene avait épousé un certain Joshua Kennedy il y a quelques années et qu'elle vivait à Strawberry Plains, aux dernières nouvelles. L'ennui, c'est que Lily écoutait la radio pendant qu'elle me parlait. Elle avait posé son casque sur ses genoux, mais comme elle est à moitié sourde, elle avait mis la musique si fort que je l'entendais quand même. Et justement, Dolly Parton chantait une chanson où il était question d'un trappeur nommé Joshua, et je me demande si ce n'est pas à cause de cela que Lily m'a parlé d'un Joshua. Allez savoir si c'est bien le prénom du mari de Jolene.

— Cela vaut quand même la peine d'essayer et je te remercie vraiment de ton coup de main, pépé. Je vais vérifier et je te tiens au courant.

— N'y manque pas. Et merci pour la lessive. Miss Kelly, je vous souhaite une agréable soirée. Et ne laissez pas ce garnement vous obliger à vous coucher tard.

— J'y veillerai. À demain, Zeb.

Ils regagnèrent le véhicule de Ian.

— Si cela ne marche pas, dit Amanda, j'ai une autre idée. Nous pourrions nous renseigner autour de nous pour voir si parmi tes voisins, tes clients ou les parents de mes patients, quelqu'un fait tondre sa pelouse par Gavin et sait comment le joindre.

— Peux-tu me dire pourquoi je n'y ai pas pensé ? Non seulement tu es ravissante, mais tu es aussi très intelligente !

Quelques minutes plus tard, il se garait devant chez lui. Comme d'habitude, il se précipita pour l'aider à descendre. Lorsqu'il l'avait fait lors de leur première sortie, Amanda avait cru qu'il cherchait à l'impressionner avec sa galanterie d'une autre époque. Mais elle avait fini par comprendre que cette galanterie faisait vraiment partie de sa personnalité. Elle était le résultat d'une éducation fidèle aux bons vieux principes auxquels Zeb semblait si attaché.

— Merci. Et merci aussi de m'avoir emmenée voir Troy. C'est un gamin adorable.

— Je t'en prie. Mais tu ne vas pas partir maintenant ?

— Cela vaudrait mieux. Il est presque 21 heures. Je pensais que tu aimerais être un peu seul. Surtout si tu veux appeler Jolene avant qu'il ne soit vraiment tard.

— Tu plaisantes ? Tu as été à mes côtés depuis le début. Il est hors de question que je te laisse partir maintenant.

Amanda devait bien reconnaître qu'elle était curieuse de savoir s'il parviendrait à joindre Jolene et s'il en tirerait quelque information utile. Curiosité mise à part, elle était surtout impatiente et inquiète pour Ian, qui avait attendu si longtemps. Et si elle s'était trompée en affirmant que Gavin avait les yeux et le sourire de Zeb ? Peut-être qu'à force de vouloir aider Ian, elle avait simplement imaginé cette ressemblance. L'idée de voir Ian subir une déception de plus lui était insupportable.

— D'accord. Si tu veux vraiment que je reste, je reste.

— Viens.

Il l'entraîna vers la maison, où Cuddles leur fit fête comme s'il ne les avait pas vus depuis des semaines. Amanda se mit à rire tout en imaginant ce que ce serait, de rentrer tous les soirs ici et d'être accueillie par le chien comme un membre de la famille…

Ian alluma son ordinateur et lança une recherche pour Joshua Kennedy à Strawberry Plains, dans le Tennessee.

Amanda retint son souffle.

— Gagné ! s'écria Ian, le visage illuminé d'un large sourire. Il semblerait que Lily n'ait pas raconté n'importe quoi, en fin de compte.

— En effet. Tu permets que j'aille me chercher un verre d'eau ?

Elle n'avait pas vraiment soif et cherchait simplement à le laisser tranquille pendant qu'il téléphonerait. Même s'il lui avait fait comprendre qu'il était heureux de la voir prendre part à ces recherches, Amanda se sentait mal à l'aise à l'idée de devoir écouter cette conversation avec Jolene.

— Fais comme chez toi. Les verres sont dans le placard à gauche de l'évier, dit-il en décrochant le téléphone.

Amanda se dirigea vers la cuisine, suivie comme son ombre par Cuddles. En jetant un bref coup d'œil par-dessus son épaule, elle vit Ian composer le numéro. Tandis qu'il faisait les cent pas devant le canapé, elle se mit à prier pour qu'un miracle se produise.

Un miracle qui apporterait le bonheur à Ian.

Et un autre qui la guérirait de vouloir l'aimer.

12.

Le cœur battant, Ian attendit que quelqu'un décroche à l'autre bout du fil. Il avait attendu si longtemps en se posant des questions. Et si tout cela le conduisait une fois de plus à une impasse ?

Jolene avait été plutôt avare d'informations à l'époque, mais peut-être son cœur avait-il changé avec le temps ? Lui fournirait-elle le renseignement dont il avait si désespérément besoin ? Même s'il avait d'autres moyens de retrouver Gavin, il désirait apprendre de la bouche de Jolene que ce dernier était bien leur fils.

Prêt à entendre le son de sa voix et se demandant si elle reconnaîtrait la sienne après toutes ces années, il fut surpris d'entendre une voix de petite fille au bout du fil.

— Allô ?

— Euh… bonsoir. Pourrais-je parler à Jolene Kennedy, s'il te plaît ?

— Oui, je vais la chercher… Ma-man ! Téléphone !

Ian frissonna. Jolene avait une fille. Pendant des années, il n'avait fait que penser à ce fils qu'il avait abandonné en se disant que la prochaine fois, il ferait mieux. En se disant qu'il aurait un jour une vraie famille. Apparemment, Jolene en avait fondé une. Bizarrement, il n'avait jamais envisagé cette possibilité. Découvrir qu'elle avait avancé dans la vie et probablement découvert le bonheur lui procurait un sentiment agréable. Mais en même temps, cela le rendait triste. Etait-il le seul des deux à avoir cherché leur fils ?

— Allô ? fit une voix de femme.

— Jolene ?

— Oui ?

Il hésita, ne sachant plus par où commencer maintenant qu'il l'avait retrouvée.

— Je ne suis pas sûr d'être au bon numéro. Je m'appelle Ian Bonner et j'aimerais parler à Jolene Bradford.

D'abord il crut qu'elle avait raccroché. Puis elle répondit d'une voix paniquée et étouffée.

— Oh, mon Dieu ! Comment as-tu trouvé ce numéro ? Pourquoi appelles-tu ?

Il n'avait certes pas prévu une telle réaction. Mais sans doute était-ce un choc pour elle qu'il la contacte ainsi, sans crier gare, au bout de tout ce temps.

— Jolene, je sais que nous ne nous sommes pas parlé depuis longtemps. Je ne voudrais surtout pas t'inquiéter ou te causer des ennuis. Mais j'ai des raisons de croire que notre fils est en ce moment à Boone's Crossing. J'appelle pour savoir si tu peux me fournir des informations qui me permettraient de prendre contact avec lui.

— Je lui ai demandé de ne plus jamais m'appeler.

— Comment cela ?

— Galen — c'est bien comme ça qu'il s'appelle, n'est-ce pas ? — m'a appelée il y a quelque temps. Je lui ai demandé de ne plus chercher à me joindre. Mon passé est passé. Mes filles et mon mari ne savent rien de ma vie à Boone's Crossing. Je ne veux pas qu'ils apprennent quoi que ce soit ! Essaie de comprendre, je t'en prie. Au revoir, Ian.

Sur ces mots, elle raccrocha.

170

Ian resta un moment à écouter la sonnerie tout en essayant de comprendre ce qu'elle venait de lui dire.

Gavin l'avait appelée, et elle l'avait rejeté ! Comment avait-elle pu faire une chose pareille ?

« Galen, c'est bien comme ça qu'il s'appelle, n'est-ce pas ? »

Elle ne s'était même pas donné la peine de comprendre correctement son prénom ! Leur fils, qui cherchait sa mère biologique, s'était vu raccrocher au nez. Ce fils qu'il aurait donné n'importe quoi pour retrouver. Ce fils pour lequel il était prêt à tout.

Ce fils qu'il n'avait pas cessé un seul instant d'aimer.

— Eh m… !

Ian reposa brutalement le combiné, furieux. Ses mains tremblaient, la colère montait en lui. Au même moment, il aperçut Amanda qui l'observait depuis la cuisine. Il avait presque oublié sa présence.

— Que s'est-il passé ? demanda-t-elle en reposant son verre.

Elle vint le rejoindre, l'air profondément inquiet et, au moment de le toucher, n'acheva pas son geste.

— Tu as peut-être besoin d'être seul, malgré tout.

— Non, ne pars pas.

Ian avait désespérément besoin de la serrer contre lui, d'être écouté par quelqu'un.

— Si je comprends bien, cela ne s'est pas bien passé, reprit Amanda après un silence.

— Non. Tu ne devineras jamais ce qu'elle m'a dit.

— Quoi ?

Il ne parvenait même plus à surmonter son émotion.

— Elle m'a dit que Gavin l'avait appelée et qu'elle lui avait demandé de ne plus essayer de la joindre. Elle a dit qu'elle avait refait sa vie et banni son passé.

171

Un poids pesait sur sa poitrine, et sa gorge se serra douloureusement.

— Et elle m'a raccroché au nez. Elle a une petite fille. C'est la petite qui m'a répondu. Je crois même qu'elle a plusieurs filles, d'après ce qu'elle m'a dit.

Amanda posa une main ferme sur son bras.

— Je suis désolée.

Elle semblait absolument sincère. Il lui pressa la main. Il aurait voulu qu'elle reste toujours là. Il aurait voulu absorber toute la chaleur et tout l'amour qui émanaient de ce simple geste.

— Je ne sais pas à quoi je m'attendais, mais certainement pas à ça.

— Ne juge pas Jolene aussi vite. Tu ne l'as pas vue depuis très longtemps. Elle a peut-être des raisons pour réagir comme elle l'a fait.

— Je sais. Jolene a parfaitement le droit de vivre sa vie comme elle l'entend.

Elle avait le droit de faire sa vie. Mais lui ne le pouvait pas. Oublier ce fils qu'ils avaient eu ensemble lui était impossible et l'empêchait de vivre pleinement. Et une petite part de lui-même en voulait terriblement à Jolene d'avoir réussi à tirer un trait sur leur histoire.

— En tout cas, tu as eu la confirmation que Gavin était bien ton fils, puisqu'il a contacté Jolene.

Amanda avait raison. Ian, pour sa part, était trop troublé pour se réjouir de cette découverte. Il avait appelé Jolene dans l'espoir d'obtenir un numéro de téléphone qui le mène quelque part, ou un indice lui permettant de résoudre l'énigme qui l'obsédait depuis si longtemps. Inconsciemment, il avait craint de découvrir que Gavin n'était pas son fils et que ses recherches en étaient toujours au même point.

Il n'avait certes pas prévu que Jolene lui apprendrait que leur fils avait essayé de la joindre. Son fils ! Comment croire qu'elle avait éconduit Gavin comme un vulgaire inconnu ? Mais n'était-ce pas ce que Gavin était pour elle, après tout : un inconnu ? Un enfant qui, après avoir été le bébé qu'elle avait abandonné, était devenu un petit garçon qu'elle n'avait jamais vu, puis le jeune homme qu'il était aujourd'hui.

Bizarrement, il n'avait jamais songé à son fils sous cet angle, comme un inconnu. Pendant toutes ces années, son fils avait toujours occupé une place au chaud près de son cœur. Son fils avait toujours représenté quelque chose, il avait toujours eu de l'importance pour lui. Il avait toujours désiré le voir, faire sa connaissance, lui parler.

— Je suis si près. Si près de le trouver, de le revoir, dit-il en regardant Amanda au fond des yeux.

Submergé par l'émotion, il la prit dans ses bras.

— Pourquoi n'est-ce pas moi qu'il a cherché à joindre ? Comment Jolene a-t-elle pu l'envoyer promener de cette façon ? Comment ?

— Je l'ignore. Mais ce qui est sûr, c'est qu'elle l'aimait suffisamment à une époque pour lui transmettre ta bague. Elle doit tout de même avoir un cœur.

— Et si je ne retrouve jamais Gavin ? Et s'il s'imagine que je vais le repousser comme l'a fait Jolene ?

— Tu n'en sais rien. N'abandonne pas maintenant. Nous allons finir par le trouver.

— J'espère de tout cœur que tu as raison.

Ian lui prit les mains et les serra doucement. Plus les jours passaient, plus Amanda faisait partie de sa vie. Sa présence, son soutien avaient quelque chose d'évident et de naturel.

— Pardonne-moi. Tu comptes tellement pour moi, et je suis là, furieux contre Jolene parce qu'elle a gâché une occasion que je cherche à provoquer depuis maintenant douze ans. Je désespère de revoir jamais mon fils. Et toi, tu trouves un moyen de me rasséréner, de me calmer. De me faire voir les choses sous un autre angle.

Il la regarda au fond des yeux, et ce fut soudain comme si son univers s'effondrait. Pourquoi n'avait-il jamais remarqué à quel point sa vie était vide avant elle ?

— Viens.

Il la serra contre lui, comme pour se noyer dans les sentiments qu'elle éveillait en lui. Il avait désespérément besoin d'échapper à la douleur dont il était prisonnier, et de se laisser couler dans un monde où le chagrin n'existait pas. Où les enfants ne perdaient pas leurs parents, où les pères n'abandonnaient pas leur fils, où les mères n'étaient pas réduites à pleurer devant des berceaux vides.

Ses lèvres rencontrèrent presque automatiquement celles d'Amanda. Lorsqu'elle répondit à son baiser, il comprit sans l'ombre d'un doute qu'elle s'était trompée en déclarant ne pas être celle qu'il lui fallait.

Elle était au contraire la femme de sa vie. Mais comment l'en convaincre ?

— Amanda, j'ai tellement envie de toi. J'ai besoin de toi.

Elle se mit à trembler entre ses bras et le regarda, affolée.

— Ian…

Il la fit taire d'un baiser.

— Ne dis rien. Ne pense à rien. Contente-toi de sentir tout ce que j'éprouve pour toi. Tout ce que tu représentes pour moi.

— Je ne peux pas Ian… Nous ne pouvons pas…

— Si, nous pouvons. Tu te trompes sur notre compte. Laisse-moi te le prouver.

Il se mit à déposer des baisers sur ses joues, ses tempes. Puis leurs lèvres s'unirent à nouveau. Elle répondit à son baiser et, peu à peu, se détendit.

Et lorsque Ian l'enleva dans ses bras pour la porter jusqu'à son lit, elle eut comme une impression d'évidence.

Amanda s'enfonça sur le matelas. La moindre fibre de son être lui disait qu'elle s'apprêtait à faire une bêtise. Elle n'avait rien à faire dans le lit de Ian, ni dans le lit de quiconque d'ailleurs. Mais son cœur souffrait d'un vide qui semblait inguérissable. Comment résister aux bras de Ian, si chauds, si forts, si accueillants ? Entre ses bras, elle se sentait bien, en sécurité, comme si plus rien ne pouvait l'atteindre et la faire souffrir.

Qui plus est, le désir physique qui la dévorait balayait tout bon sens. Elle n'avait pas connu l'étreinte d'un homme depuis trop longtemps, et se sentait tellement bien entre les bras de Ian…

— Ian…

— Chut. Ne dis rien. Ne pense à rien. Laisse-toi aller, Amanda. Je me sens si bien, si heureux avec toi. J'ai envie que tu ressentes la même chose. J'ai envie de te faire l'amour.

Il posa à nouveau ses lèvres sur les siennes, et ses baisers devinrent de plus en plus fiévreux, exigeants.

Amanda n'eut aucun mal à ressentir ce dont il parlait : bonheur, chaleur, désir. Mais n'allait-elle pas regretter de se laisser aller, même une fois ? Son cœur se remettrait-il si elle s'abandonnait à l'amour de Ian et acceptait de vivre, ne serait-ce qu'une aventure passagère ? Elle ne pouvait pas lui promettre l'éternité ; le lui faire croire aurait été malhonnête. Pourtant, une petite voix intérieure la poussait à céder à la tentation. Aussi, s'interdisant de penser à quoi que ce soit d'autre, elle prit Ian dans ses bras et répondit à ses baisers avec une passion prouvant qu'elle le désirait autant qu'il la désirait.

Ian fit glisser les bretelles de sa robe, dévoilant son soutien-gorge bustier. Il déposa un chapelet de baisers le long de cou, dans son décolleté et abaissa son soutien-gorge avec ses dents. Puis il posa une main avide sur l'un de ses seins, qu'il se mit à pétrir doucement, avant de le porter à sa bouche. Amanda se cambra contre lui en poussant un petit cri.

Cette fois, il n'y avait plus de vêtement entre la bouche de Ian et le plaisir qu'il lui procurait. Elle se perdait sous ces caresses qui exploraient son corps. Il déposa des baisers le long d'une jambe, puis la déchaussa, embrassa ses orteils et la cambrure de ses pieds. Lorsqu'il remonta le long de son corps, elle tendit les mains pour déboutonner sa chemise tout en goûtant la chaleur de sa peau.

Elle fit glisser la chemise sur ses larges épaules et caressa en soupirant ses biceps bronzés et musclés. Sans le moindre effort, elle s'abandonna au pur plaisir de sentir les mains de Ian sur son corps. Plus rien n'avait d'importance que l'instant présent et son corps contre le sien. Bientôt, sa robe et les vêtements de Ian ne formèrent plus qu'un tas au pied du lit.

D'une main adroite, Ian dégrafa son soutien-gorge. Puis du bout de la langue, il parcourut le chemin qui séparait ses seins de son nombril et remonta lentement, la torturant à dessein. Amanda gémit, impatiente de le sentir descendre plus bas. Mais s'allongeant sur le dos, il l'encouragea à lever ses dernières inhibitions, guidant sa main jusqu'à son sexe. Avec un frisson délicieux, Amanda le caressa avant de lui retirer son sous-vêtement. Après en avoir fait de même avec sa petite culotte, Ian l'attira sur lui pour qu'elle le chevauche sans toutefois s'unir complètement à lui. Les yeux au fond des siens, Amanda l'invita silencieusement à explorer son corps. A la lumière de la lampe de chevet, le regarder en train de la regarder avait quelque chose de terriblement excitant.

— Tu es belle, Amanda, murmura-t-il d'une voix altérée par le désir.

De ses mains qui l'effleuraient à peine, il frôla ses seins et descendit vers ses hanches. Lentement, il explora le duvet qui cachait son sexe, à la recherche de l'endroit le plus intime. Puis il glissa un doigt en elle tout en caressant le point le plus sensible.

Le corps en feu, Amanda se mit à onduler au rythme de ces caresses.

— Ian, j'ai envie de toi...

Brûlante et mouillée, elle se frotta contre lui avant d'accueillir en elle son sexe dressé.

Après l'avoir laissée l'exciter par des va-et-vient appropriés, il la fit rouler sur le dos. Il l'embrassa, puis se servit de sa langue pour taquiner son sexe, ainsi qu'elle le désirait depuis longtemps. A bout, elle le supplia du regard. Il la pénétra et se mit à bouger avec un rythme de plus en plus soutenu, l'amenant jusqu'au bout du plaisir.

Elle cria dans l'extase. Alors que les spasmes l'agitaient encore, Ian se remit à la toucher, à la taquiner, à la caresser intimement. Elle se laissa emporter avec un plaisir égoïste par des vagues successives de plaisir tout en sachant qu'elle aurait dû l'arrêter bien avant. Elle n'était pas à une période dangereuse de son cycle. Cependant...

— Ian, je ne prends pas la pilule…, chuchota-t-elle, soudain saisie d'angoisse.

Mais il la fit taire d'un baiser. Sa langue glissant de son cou au lobe de son oreille fit frissonner son corps tout entier.

— Ce n'est pas grave, je vais faire attention, murmura-t-il.

Il l'attira tout contre lui et la pénétra de nouveau, suivant cette fois son propre rythme. L'encourageant à passer ses jambes autour de lui, il s'enfonça une ultime fois en elle avec une sorte de désespoir avant de se retirer en tremblant. Il s'effondra sur l'épaule d'Amanda, répandant sa semence contre leurs corps en sueur.

Malgré elle, Amanda sentit son estomac se contracter de peur. Ils avaient été à deux doigts de concevoir un enfant. Des émotions troublantes et contradictoires s'emparèrent alors d'elle. Elle voulait plus de cet homme. Le contact de son corps brûlant la rendait malade de désir, et des larmes montaient à ses yeux, menaçant de couler sur son visage. Elle les refoula à grand-peine. Ce qu'elle éprouvait n'était pas seulement physique, même si ce qu'ils venaient de partager l'était. Une petite voix plus forte que la voix de la raison le lui disait : rien n'était plus facile que de se laisser aller à aimer cet homme.

Mais elle n'avait pas le droit. Soudain, elle comprit qu'elle venait de commettre une bêtise. Elle n'avait pas à jouer avec le cœur et les émotions de Ian. Ils avaient laissé le désir prendre le pas sur le bon sens. Franchir la ligne comme elle venait de le faire était une mauvaise idée et une tricherie. Puisqu'elle ne voulait pas lui donner les enfants qu'il désirait tant, que faisait-elle dans son lit ?

— Ian…

Elle se mordit la lèvre pour ne pas prononcer les mots d'amour et les serments qui menaçaient de lui échapper. Comment se montrer honnête envers lui sans le blesser ? Elle caressa son épaule ferme et musclée.

— Ian ?

Il ne répondit que par un murmure somnolent et enfouit sa tête contre son épaule. Une main posée sur l'un de ses seins, il se blottit contre elle comme au creux d'un oreiller. Il s'était endormi.

Devait-elle en rire ou en pleurer ? Quelle réaction typiquement masculine ! Lorsqu'elle se tordit le cou pour apercevoir le visage de Ian à la lumière, ses traits détendus avaient quelque chose de presque enfantin. Les plis inquiets qu'elle avait remarqués dernièrement avaient totalement disparu. Il dormait comme un innocent, heureux et paisible.

Amanda ressentit un étrange malaise. Elle s'en voulait de s'être abandonnée à ce moment de passion, de folie, mais ne parvenait cependant pas à le regretter. Et elle en voulait aussi à Ian de l'avoir à ce point envoûtée.

Lorsqu'elle se glissa hors du lit, Ian remua à peine. Elle ramassa ses vêtements, éteignit la lumière et se rendit dans la salle de bains.

Se sentir gênée de fouiller dans le placard à linge de Ian avait quelque chose de ridicule étant donné ce qui venait de se passer entre eux. C'était pourtant ce qu'elle ressentit. Après une toilette rapide, elle s'habilla en songeant à la manière dont s'étaient achevées leur étreinte. Ils avaient fait attention. Bien sûr.

Mais avaient-ils fait *suffisamment* attention ?

Puis, sans y penser davantage, elle gagna la porte d'entrée sans résister à la tentation d'aller regarder Ian dormir avant de partir. Il dormait toujours à poings fermés. Cuddles, qui était venu se coucher près du lit, se mit à remuer la queue en la voyant. Amanda lui murmura quelques mots avant de déposer un baiser sur la tempe de Ian. Elle lui caressa doucement les cheveux. Elle devait partir. Il le fallait. Un jour, une femme aurait la chance de pouvoir l'aimer pour l'éternité.

Elle quitta la chambre et la maison sans faire de bruit, en regrettant de toutes ses forces de ne pas être cette femme-là.

13.

Heureusement, le lendemain était un vendredi et la journée fut particulièrement remplie. De ce fait, Amanda n'eut guère le temps de songer à ce qui s'était passé entre Ian et elle. Malgré tout, elle était légèrement déçue qu'il ne soit pas passé voir son grand-père. Lorsque dans le courant de la matinée elle alla bavarder quelques instants avec Zeb, dans la salle de jour, ce dernier voulut savoir si Ian avait pu localiser Jolene.

— En effet, il l'a retrouvée, dit-elle en faisant la grimace. Mais je crois que je ferais mieux de le laisser vous raconter l'histoire.

— Ça c'est mal passé, hein ?

Très mal, même, se garda-t-elle d'ajouter. Ce coup de fil avait créé un tel climat émotionnel qu'elle avait fini au lit avec Ian. Elle bredouilla une réponse et aurait juré que Zeb avait tout deviné à la façon dont il la regarda quitter la pièce. Même si c'était idiot, elle se sentait comme une adolescente prise en flagrant délit de bécotage dans une voiture. Zeb aurait sans doute approuvé la nouvelle tournure que venaient de prendre ses relations avec Ian. Mais s'il avait appris le fin mot de l'histoire, il lui en aurait sûrement voulu de faire souffrir son petit-fils. Or, c'était ce qu'Amanda voulait éviter à tout prix. Ian était quelqu'un de bien, il méritait mieux qu'une femme qui le menait en bateau.

Partagée entre l'envie de le voir et celle de l'éviter tant qu'elle n'aurait pas repris le contrôle de ses émotions, elle sortit pour sa pause déjeuner. Sans cesse elle repensait à ce qu'ils avaient fait avec appréhension. Elle craignait les implications de cette liaison et ce qu'il se passerait si elle tombait enceinte. Dépassée par les sentiments qu'elle éprouvait pour lui, elle avait fait une chose qu'elle n'aurait jamais faite en temps normal : partager son lit et céder à ses désirs sans penser aux conséquences.

Son estomac gargouillait mais elle n'avait pas faim ; elle avait juste envie d'une boisson fraîche. En outre, sa jauge de carburant frisait dangereusement le zéro. Au supermarché en bas de la rue, on vendait des boissons réfrigérées et le carburant le moins cher de toute la ville. Rêvant toujours à la nuit qu'elle venait de passer, Amanda fit le plein, puis alla se garer devant la boutique. Il faisait déjà près de 27° C et la chaleur moite l'écrasa dès qu'elle descendit de sa voiture climatisée.

Ce fut seulement après avoir payé sa boisson et son carburant qu'elle se rendit compte qu'elle avait laissé ses clefs à l'intérieur de sa voiture. Elle n'avait même pas fait attention à l'avertissement sonore censé l'empêcher d'oublier ses clefs sur le contact. Elle l'avait complètement oublié, comme tout ce qui n'était pas Ian aujourd'hui.

— Me voilà bien ! s'exclama-t-elle en frappant rageusement de son sac le toit de sa voiture.

En soupirant, elle regarda son porte-clefs en forme de chat qui semblait la narguer de son sourire. Génial.

Elle se dirigeait vers la cabine téléphonique pour appeler un serrurier quand deux garçons à bicyclette attirèrent son regard : c'était Gavin et Delbert. Debout sur une pédale,

Gavin donna un coup de pied sur la fourche avant de son vélo. D'un mouvement trop vif pour qu'elle le suive, il fit virevolter l'arrière du vélo avant de l'immobiliser du pied et de se retrouver à nouveau un pied sur chaque pédale. Puis, tirant sur son guidon, il cabra son vélo et, souriant, rejoignit Amanda en roulant uniquement sur la roue arrière. Delbert le suivit.

— Salut, miss Kelly !

Gavin s'arrêta devant elle dans un savant dérapage contrôlé, tandis que Delbert, se contentant de la saluer d'un geste, continuait de tourner en rond sur le parking.

— Gavin, si tu savais comme je suis contente de te voir...

Mais qu'allait-elle lui dire ? « Je connais ton père et il te cherche depuis douze ans » ? Ridicule. Un peu prise au dépourvu, elle fit un geste en direction de sa voiture, remerciant le ciel d'avoir enfermé ses clefs à l'intérieur. Même si Gavin ne pouvait rien pour elle, cela lui permettait au moins de meubler la conversation en attendant de retrouver ses esprits.

— J'ai enfermé mon trousseau de clefs dans ma voiture. J'allais appeler quelqu'un pour m'aider.

— Pas la peine, assura-t-il avec un sourire aussi charmant qu'insolent.

Amanda en eut la chair de poule, comme lorsqu'elle avait vu ce sourire sur la photo de Zeb.

— Je vais vous les sortir de là. J'ai déjà fait ça des centaines de fois, déclara Gavin avec toute l'assurance de ses seize ans.

— Ah bon ? Ne me dis pas que tu tonds les pelouses le jour et voles des voitures la nuit !

Il éclata d'un rire qui la troubla : le même rire que Ian. Comment ne l'avait-elle pas remarqué plus tôt ?

— Non, mais ça m'est arrivé plusieurs fois d'oublier mes clefs dans ma voiture, et à mes parents aussi. A chaque fois, j'ai réussi à les récupérer. Bougez pas, je reviens.

Pivotant sur son vélo, il héla Delbert, puis partit en direction d'une petite galerie marchande qui abritait une laverie automatique et une teinturerie. Il revint quelques instants plus tard muni d'un cintre en fil de fer. Amanda et Delbert le regardèrent déplier le cintre qu'il glissa ensuite patiemment entre la vitre de la portière et le caoutchouc d'étanchéité. Enfin, il put manœuvrer le mécanisme d'ouverture de la porte.

— J'en étais sûr, dit Delbert, admiratif. Il réussit à tous les coups.

— Ce n'est pas très difficile, répondit Gavin avec une fierté non dissimulée.

Après avoir vérifié que la portière s'ouvrait, il retira son fil de fer et ouvrit pour attraper les clefs, qu'il remit à Amanda avec une courbette comique.

— Je ne sais pas comment te remercier. Tu m'as fait économiser le prix du serrurier.

— C'est gratuit, dit-il avec un sourire en coin.

Amanda résista à l'envie de lui ébouriffer les cheveux d'une main maternelle. Ou de le prendre dans ses bras pour lui dire que, même s'il avait été abandonné, son véritable père ne l'avait jamais oublié. Elle aurait aimé les réunir tous les deux et voir à nouveau sourire Ian.

Paniquée, elle s'aperçut que Gavin allait partir.

— Gavin ! Une seconde !

Devait-elle lui parler de la bague ? Ou bien lui raconter qu'en fin de compte, elle préférait qu'il vienne tout de même tondre la pelouse ? Elle opta pour la vérité, qui n'avait finalement rien de compromettant.

— La dernière fois que tu es venu tondre chez moi, tu n'aurais pas perdu un bijou, par hasard ? Une bague suspendue à une chaîne ?

Pour son plus grand plaisir, Gavin sembla soudain fou de joie.

— En effet. Vous l'avez trouvée ?

— Oui. Dans ma pelouse. J'ai pensé que tu viendrais peut-être la chercher. Je n'avais aucun moyen de te joindre.

— Si vous saviez comme je l'ai cherchée ! Comme un malade. Elle appartenait à... à mon père. Je suis passé chez vous hier, mais vous n'étiez pas là, et je n'ai rien trouvé en cherchant dehors.

— Ma mère nous a emmenés dans un parc d'attraction, expliqua Delbert. On n'est rentrés qu'hier.

Amanda ne laissa pas de remarquer l'ironie du sort. Pendant qu'elle était chez Ian en train d'essayer d'imaginer un moyen de retrouver Gavin, ce dernier était tout simplement chez elle.

— Eh bien, ne la cherche plus. Je dois retourner travailler maintenant, mais si tu veux passer chez moi, j'y serai vers 17 h 30.

— D'accord.

— Et encore merci pour mes clefs.

— Pas de quoi. Je l'aurais fait des centaines de fois en échange de ma bague.

Son regard ému attendrit Amanda. Que savait-il au juste sur cette bague et son père ?

Il avait dit que cette bague appartenait à son père. Mais savait-il seulement que ce dernier vivait ici, à Boone's Crossing ? Sûrement pas.

Convaincue que le sort souriait au moins à quelqu'un, elle revint rapidement à Shade Tree Manor et se précipita dans son bureau, pressée d'avertir Ian.

En se réveillant vers minuit, Ian éprouva une certaine déception en se découvrant seul dans son lit. Gêné de s'être endormi en présence d'Amanda, il hésita longuement à l'appeler. Finalement, il préféra ne pas l'effrayer inutilement en téléphonant au beau milieu de la nuit. Pourvu qu'elle ne s'imagine pas qu'il ne voie en elle qu'un exutoire à ses besoins physiques !

Car c'était tout le contraire. Avec Amanda, il s'était senti tellement bien, tellement comblé et heureux qu'une incroyable sensation de détente l'avait envahi, le plongeant instantanément dans le sommeil. La tenir dans ses bras semblait si naturel, si évident, qu'il l'y aurait bien gardée toute la nuit. Toutes les nuits, à jamais.

Il avait bien pensé faire un tour à la maison de repos pour voir Amanda et apporter à Zeb quelques douceurs. Mais l'atelier n'avait pas désempli de toute la matinée. Sans doute cela valait-il mieux ainsi, car il préférait la voir en privé, et non sur son lieu de travail, pour parler de ce qui s'était passé entre eux.

Il s'apprêtait à souder une roue de secours qu'un client voulait fixer au plateau de son pick-up, quand le téléphone sonna. Il eut l'agréable surprise de reconnaître la voix d'Amanda.

— Ian, j'ai une grande nouvelle : j'ai retrouvé Gavin !

— C'est vrai ? Où ça ? Tu lui as dit quelque chose ? Tu as son numéro de téléphone ?

— Holà, du calme ! Je lui ai seulement dit que j'avais retrouvé sa bague. Il passera chez moi la chercher vers 17 h 30. Tu pourras venir ?

S'il pouvait venir ? Quelle question !

186

— A ton avis ? C'est pépé qui avait raison : le destin nous joue parfois de sacrés tours. Je ne sais comment te remercier, Amanda.

— Inutile de me remercier. A tout à l'heure.

Ian raccrocha, dans un état d'excitation et d'appréhension extraordinaire. Il allait enfin voir son fils.

Puis il songea à Amanda. Elle n'avait fait aucune allusion à la nuit dernière. Il est vrai qu'elle appelait depuis son bureau. Pourvu qu'elle ne regrette pas ce qui s'était passé, qu'elle ne lui en veuille pas… Lui en tout cas ne regrettait absolument rien et voyait cette relation comme une source de bonheur. La seule inquiétude qu'il éprouvait, c'était ce refus, chez elle, d'avoir des enfants. Et si elle ne changeait jamais d'avis ? Et si, maintenant qu'il était amoureux, il découvrait qu'ils ne seraient jamais d'accord sur ce point essentiel ? Estimant qu'il était à la fois trop tard et trop tôt pour s'en inquiéter, il se remit au travail, impatient de finir sa journée pour faire enfin la connaissance de Gavin.

Amanda quitta son travail à 16 heures et rentra chez elle envahie d'une légère appréhension. Après s'être changée et recoiffée, elle consulta l'horloge : presque 17 heures. Qui arriverait le premier ? Sans doute Ian. Il devait avoir hâte d'être là.

Elle était en train de donner des croûtons à Skippy sous le porche quand, à sa grande surprise, Gavin arriva, avec près d'une demi-heure d'avance. Il gara son pick-up près de sa voiture.

— Salut, jardinier ! Comment vont les affaires ?

— Ce n'est pas l'ouvrage qui manque, dit Gavin en s'asseyant sur la balustrade du porche. Salut, Skippy.

Amanda lui donna quelques croûtons pour l'écureuil. Comme c'était étrange de songer qu'il n'était plus seulement le jeune homme qui venait tondre la pelouse. Que devait-elle lui dire ? Jusqu'où pouvait-elle lui révéler la vérité en attendant l'arrivée de Ian ?

— Tu veux boire quelque chose ? J'ai du soda et de la citronnade.

— Non, merci. Je dois rentrer à l'heure pour le dîner, sinon ma tante va en faire une jaunisse.

Déçue, Amanda essaya d'imaginer un moyen de retenir Gavin.

— Tu pourrais peut-être la prévenir ?

Gavin la dévisagea d'une drôle de manière. Zut ! elle était en train de tout compromettre. De toute évidence, il trouvait cette idée d'appeler sa tante pour rester boire une citronnade pour le moins bizarre.

— La prévenir ? Pour quoi faire ? Je ne risque pas d'être en retard si je pars tout de suite après avoir récupéré ma bague.

Et flûte !

— Tu m'as bien dit que cette bague appartenait à ton père ?

— Oui. A mon père biologique. Mes parents m'ont adopté quand j'étais bébé. Ils ne m'ont jamais rien caché. Mais je me suis toujours demandé qui étaient mes vrais parents. C'est pour cela que mon père m'a aidé à les retrouver. Et voilà pourquoi je suis ici. Si je suis venu chez mon cousin Delbert et ma tante Betty, ce n'est pas seulement pour les voir, mais pour rencontrer mon père. Je n'ai pas encore trouvé le courage d'aller le voir. Quant à ma mère biologique, elle ne s'est pas montrée très chaleureuse lorsque je l'ai appelée. Et j'ai bien peur que ce soit la même chose avec mon père.

— Donc, tu connais le nom de ton père ? demanda Amanda d'une voix tremblante.

— Bien sûr. C'est Ian Bonner. Il tient un atelier de soudure à Boone's Crossing. Je crois que je vais enfin me lancer, aller le voir. Peut-être demain…

A ce moment précis, le pick-up de Ian apparut dans l'allée, un gros pick-up noir sur lequel était peint : « Atelier Bonner ».

Amanda, la bouche sèche, se tourna vers Gavin, qui s'était tu.

Ses yeux étaient rivés au pick-up.

— Ça alors ! Est-ce que c'est… C'est lui, c'est ça ? C'est mon père ?

Ian descendit de son véhicule et se dirigea vers le chalet d'Amanda comme dans un rêve. Il avait espéré arriver le premier, mais un client de dernière minute affreusement bavard l'avait retardé. Hypnotisé par ce jeune homme qui était son fils, il ne remarqua même pas qu'Amanda lui faisait des signes désespérés.

Quand il voulut parler, il resta sans voix. Il avançait sans s'en rendre compte, machinalement, incroyablement nerveux et comme glacé par un sentiment à mi-chemin entre la peur et la plus grande joie de sa vie. Pourvu qu'il ne s'étrangle pas et ne se mette pas à pleurer. Pas devant Amanda. Pas devant son fils.

— Salut Ian, dit Amanda, qui avait remarqué sa gêne.

Elle vint au-devant de lui, le plus naturellement possible, les mains tremblantes, et s'appuya contre un pilier en les regardant tous les deux, tour à tour.

Ian tremblait de tout son corps.

— Salut.

Son salut s'adressait à tout le monde à la fois. Instinctivement, il tendit la main à Gavin, sans parvenir à se présenter. Amanda n'avait sûrement rien dit à l'adolescent. Par où commencer ?

Gavin lui serra énergiquement la main. Ce n'était plus la poignée de main d'un enfant, pas encore celle d'un homme. Il avait la main moite et Ian remarqua son regard inquiet. Gavin semblait lui aussi hypnotisé. Amanda lui aurait-elle finalement dit quelque chose ?

— Gavin Brock. Ravi de faire votre connaissance, monsieur.

Sa politesse remplit Ian de fierté ; son fils avait été bien élevé. Mais en même temps, s'entendre appeler « monsieur » par cet enfant qu'il aimait depuis toujours sans même le connaître n'était pas facile à digérer.

— Ian Bonner. Je suis, moi aussi, très content de faire ta connaissance.

Gavin fit un geste en direction du pick-up de Ian.

— Vous avez là un beau pick-up.

Il sourit, timide mais cherchant à débloquer la situation.

— Merci. Je vois que, toi aussi, tu as un Ford.

Avait-il bien fait d'insister sur « toi aussi » ? *Comme moi, comme ton grand-père Zeb, tu es fidèle aux bons vieux Ford, mon fils.*

— Oui.

Gavin, qui ne quittait pas Ian des yeux, semblait ne plus savoir que dire.

Fasciné, Ian avait l'impression exaltante de voir une vedette de près pour la première fois. Mais c'était beaucoup mieux que de rencontrer une vedette. Car cet inconnu, ce beau jeune homme aux cheveux châtains bien coupés, aux yeux effectivement bleus et qui rappelaient de façon troublante

190

ceux de Zeb, cet inconnu n'en était pas un. C'était l'enfant de son cœur, l'enfant qui avait grandi loin de lui.

Submergé par l'envie de le serrer contre lui, de lui taper amicalement dans le dos et de l'emmener quelque part où ils pourraient rattraper le temps perdu, Ian cherchait ses mots.

Amanda, qui semblait comprendre exactement ce qui se jouait en ce moment et ce qu'il éprouvait, décida d'intervenir.

— Ian, il sait.

Il lui fallut un certain temps pour comprendre le sens de ces trois petits mots. Après avoir consulté Amanda du regard, il se tourna de nouveau vers Gavin.

— C'est Amanda qui te l'a dit ?

— Qui vous êtes ? Non, m'sieur, je le savais déjà.

A cette réponse imprévue, Ian sentit son cœur battre plus fort.

— Tu le savais ? Comment ?

— Mon père a engagé un détective privé pour retrouver mes parents biologiques.

Ce mot de « père » l'atteignit de plein fouet. A l'idée qu'un autre homme avait regardé grandir son fils, il éprouva une soudaine rancœur, mêlée de jalousie. Mais n'avait-il pas fait son choix ? Il devait, au contraire, être reconnaissant que son fils ait été élevé, apparemment, par quelqu'un de bien.

Gavin poursuivit :

— Je suis venu en vacances à Boone's Crossing chez mon cousin Delbert et ma tante Betty. J'ai tondu les pelouses pour me faire de l'argent de poche en attendant de trouver le courage de venir vous voir. Miss Kelly a retrouvé la bague que vous m'aviez donnée, et elle m'a dit de passer la chercher ici.

Gavin croyait donc que cette bague lui venait de lui ? Plein de regrets, Ian sortit l'objet en question de sa poche. Ce n'était peut-être pas lui qui la lui avait donnée autrefois, mais cette fois-ci, oui.

Gavin la prit, manifestement heureux de l'avoir retrouvée, ce qui fit énormément plaisir à Ian.

— Merci.

Après avoir examiné la bague et sa chaîne cassée, le jeune homme rangea le tout dans la poche de son jean.

— Bien, dit Amanda, la gorge nouée. Je vais à l'intérieur pour vous laisser en tête à tête. Si vous avez soif, appelez.

Ian allait protester, lui demander de rester. Il désirait qu'elle participe à ces retrouvailles. Mais en même temps, il était avide d'avoir son fils pour lui tout seul. D'ailleurs, peut-être que Gavin se sentirait plus à l'aise seul avec lui. Lorsque Amanda fut rentrée, il désigna les fauteuils placés sous le porche.

— Tu veux t'asseoir ?

— Oui.

Ian s'installa près de son fils. Mille questions lui venaient à l'esprit. Il ne savait plus par où commencer.

Estimant que rien ne valait la franchise, il se lança.

— J'imagine que tu te poses un tas de questions. En tout cas, moi je m'en pose.

— Oui, m'sieur.

— Ne m'appelle pas « monsieur ». Tu peux me tutoyer et m'appeler Ian.

— D'accord. Lequel commence le premier ?

Cette fois, ce fut le sourire de Gavin qui rappela à Ian la physionomie de Zeb.

— Je suis bien content que tu le prennes comme cela, parce que je me sens terriblement nerveux, avoua Ian en riant malgré lui.

— Nous sommes deux alors !

— J'aimerais savoir comment tu es arrivé ici, pour me retrouver.

— J'ai des parents super….

A nouveau, Ian éprouva ce petit pincement au cœur. A nouveau, il hésita entre le ressentiment et la gratitude envers les inconnus qui avaient élevé son fils.

— Ils se sont montrés vraiment compréhensifs quand je leur ai posé des questions sur mes parents biologiques. Comme je te l'ai dit tout à l'heure, ils ont engagé un détective privé. Mais cela n'a pas été difficile de te retrouver, puisque tu vivais toujours à Boone's Crossing.

Baissant les yeux vers ses chaussures, Gavin poursuivit :

— J'ai d'abord appelé ma… ma mère parce que j'avais déjà décidé de venir passer les vacances ici. Elle a refusé de me parler.

Il secoua la tête, l'air visiblement affecté.

— Cela me fait de la peine pour toi, dit Ian.

— Ouais… Ça m'a fait perdre confiance en moi. Après, j'ai eu peur de te contacter. Mais j'étais déjà arrivé ici. Alors, j'ai emprunté la tondeuse de tante Betty et je me suis mis à tondre chez des particuliers en attendant de trouver le courage de venir te voir. J'avais vraiment prévu d'aller demain à ton atelier. Et puis, j'ai rencontré miss Kelly à la station essence ce matin, elle m'a dit qu'elle avait retrouvé ma bague, et voilà.

Tout semblait si simple ! Mais Ian voulait en savoir davantage. Il aurait voulu passer des journées, des semaines entières avec Gavin, pour apprendre à le connaître. Tout apprendre de sa vie, de ses centres d'intérêt, de ses goûts... et même de son autre famille.

— J'ai tellement de choses à te dire que je ne sais pas par où commencer. Je t'ai cherché...

Et Ian lui raconta par le menu les événements passés.

— Je n'arrivais pas à me rappeler le nom de l'avocat qui s'était occupé de l'adoption.

— Joe Brock. Le frère de mon père. Il a transféré son cabinet à Knoxville quand j'étais encore petit. Puis, il y a quelques années, il a divorcé de tante Betty, qui est revenue vivre ici avec Delbert.

— Je savais que c'était un nom comme « Breck »... C'est incroyable...

Ian poursuivit, expliquant comment ses recherches lui avaient semblé de plus en plus difficiles à mesure que les années s'écoulaient. Jusqu'au jour où Amanda avait découvert la bague.

— Donc, si tu avais donné cette bague à ma mère, c'est elle qui a dû la donner à mes parents ?

— Sûrement.

Ainsi qu'Amanda l'avait fait remarquer, Jolene avait au moins fait cela pour son fils.

— Mes parents ne me l'ont jamais dit. Ils m'ont seulement dit que cette bague appartenait à mon père biologique. C'est pourquoi j'en ai déduit que c'était toi qui me l'avais donnée. Je la porte à mon cou depuis l'âge de onze ans. Quand j'étais plus petit, mes parents avaient peur que je la perde. Maman l'avait rangée dans sa boîte à bijoux et, quelquefois, j'allais dans sa chambre à son insu, je m'asseyais sur son lit et je regardais ma bague. Je la passais à mon doigt, même si elle était trop grande, et je m'inventais des histoires. J'imaginais que tu étais un agent du F.B.I.

que des espions cachaient. Ou encore un astronaute, trop occupé à explorer l'espace pour venir me voir.

Ian était bouleversé. Gavin ne semblait pas amer. Ces histoires étaient simplement le fruit de son imagination d'enfant. Pourtant, c'était dur de les entendre.

— J'aurais bien aimé venir te voir, tu sais. J'espère que tu n'es pas trop déçu que je sois un simple artisan au lieu d'un agent secret !

— Sûrement pas ! J'adore la soudure. J'ai suivi des cours à l'école. J'ai envie de fabriquer moi-même mes cadres de vélo.

— Vraiment ?

Gavin portait en effet un tee-shirt décoré d'un garçon sur un vélo de cross.

Le jeune homme lui parla ensuite de ce sport qu'il aimait tant.

— En fait, c'est à cause de cela que je ne suis pas venu plus tôt chercher ma bague. Après avoir tondu chez miss Kelly, je suis parti avec Delbert pour Knoxville, où il y a un parcours spécial bicross. Je n'ai pas tout de suite remarqué que j'avais perdu ma bague. J'ai appelé le responsable du parcours, mais il n'avait rien trouvé. Delbert et moi, nous sommes retournés dans tous les endroits où nous étions passés, mais sans succès. Après ça, tante Betty nous a emmenés quelques jours dans un parc d'attraction. A notre retour, j'ai fait la tournée de toutes les personnes chez qui j'avais travaillé, y compris miss Kelly.

— Tu es venu ici ? Quand ?

— Hier, pendant qu'elle était au travail. Et puis ce matin le hasard a voulu qu'elle enferme ses clefs à l'intérieur de sa voiture et c'est là qu'elle m'a dit avoir retrouvé la bague. Ce que j'étais content ! Cette bague compte énormément pour moi, vous… tu sais. C'est tout ce que j'avais de mes parents biologiques… enfin, de toi.

Ian inspira à fond. Il éprouvait comme une sorte de vertige.

— Moi aussi je suis bien content que tu l'aies retrouvée. Comme je te le disais, je ne savais plus comment faire pour retrouver ta trace. Je voulais être sûr… vérifier que tu étais bien mon fils.

— Je le suis, dit Gavin en se tortillant au fond de son siège. Mais ça me fait tout drôle. Il va me falloir un certain temps pour m'y habituer.

— Je sais ce que tu ressens. Mais j'ai tout mon temps.

— A propos de temps ! s'écria Gavin. Je devrais rentrer pour le dîner… mais j'aimerais bien qu'on discute encore un peu. Tu crois que je peux passer un coup de fil ?

Ian se leva et ne résista pas plus longtemps à l'envie de donner une tape amicale dans le dos de son fils. Ce dernier, qui s'était levé lui aussi, était de la même taille que lui.

— Evidemment.

Après avoir montré à Gavin où se trouvait le téléphone, Amanda rejoignit Ian sous le porche.

— Comment ça se passe ?

Devant son inquiétude, Ian se rappela, plein de gratitude, qu'il n'aurait jamais retrouvé Gavin sans elle.

— Pour le mieux. Je n'arrive pas encore à y croire.

— J'imagine.

Comme elle le regardait, les bras croisés, Ian se mit à songer à la nuit dernière.

Ne pouvant s'en empêcher, il la prit dans ses bras et la regarda au fond des yeux.

— Et pour toi, comment ça se passe ? J'ai été très déçu, à mon réveil, de voir que tu n'étais plus dans mon…

Il jeta un bref coup d'œil vers la cuisine, dont la porte était ouverte, et où Gavin téléphonait.

— ... enfin, que tu n'étais plus là.

— J'ai pensé qu'il valait mieux que je parte. D'ailleurs... tu dormais.

— Et si tu savais comme je le regrette !

Il l'aurait volontiers embrassée, mais la présence de Gavin dans la pièce voisine le gênait. Son fils le connaissait à peine. Il ne voulait pas lui donner l'impression d'être obnubilé par Amanda.

— J'étais si détendu et heureux que je n'ai pas pu m'empêcher de m'endormir.

A sa grande surprise, Amanda éclata de rire. Elle allait répondre quelque chose quand Gavin ressortit de la maison.

— Tante Betty dit que je peux rester aussi longtemps que je veux, du moment que je rentre à une heure raisonnable.

— Voilà un marché qui me semble honnête, dit Ian en lâchant Amanda.

En les regardant tous les deux, il se prit à rêver. Dans son rêve éveillé, il vivait dans un monde parfait où ils formaient tous les trois une famille heureuse...

— Que diriez-vous tous les deux d'un milk-shake au chocolat ? proposa-t-il.

— Ça me va, répondit Gavin.

Amanda refusa, préférant le laisser seul avec son fils.

— Allez-y tous les deux. J'ai eu une dure journée et je travaille demain.

Demain...

Autrement dit, samedi.

Les Cumberland Cubs ! Ian les avait oubliés.

Il éprouva soudain le désir égoïste de passer le week-end avec son fils plutôt que de jouer le chef scout. Mais peut-être que Gavin pourrait se joindre à eux ? Cette idée le rasséréna quelque peu.

Il aurait aussi aimé qu'Amanda vienne prendre un milk-shake en ville avec eux.

— Tu en es sûre ?

— Oui. Gavin, j'ai été ravie de te revoir. N'hésite pas à passer me voir. Skippy apprécie ta compagnie, tout comme moi.

— Merci.

— A plus tard, dit Ian, en la quittant à contrecœur.

— Bye, dit-elle avec un petit sourire.

— On prend ta voiture ou la mienne ? demanda Gavin.

— Prenons la tienne.

En descendant les marches du perron, il surprit le regard sincèrement réjoui d'Amanda.

Après tout, il avait attendu toute sa vie de partager un moment avec son fils. Il avait manqué sa première dent, ses premiers pas, et probablement son premier flirt. Ce n'était même pas lui qui lui avait appris à conduire.

Pourtant, c'est le cœur gonflé d'orgueil qu'il monta à bord du pick-up bleu nuit conduit par son fils.

14.

Après leur départ, le jardin sembla soudain très calme. Trop calme. Amanda arrosa ses rosiers. Le tuyau qu'elle tenait à la main lui rappela la folle poursuite à l'issue de laquelle Ian et elle s'étaient retrouvés par terre et s'étaient embrassés… Elle se souvint aussi de leur nuit d'amour… Ne pouvant éviter le sujet éternellement, il faudrait bien qu'ils aient une explication prochainement. Peut-être devrait-elle profiter du moment où il rentrerait de sa soirée avec Gavin pour aborder la question. A condition, bien sûr, que Gavin ne s'attarde pas, ou que le père et le fils n'aient pas d'autres projets pour la soirée.

Les voir réunis resterait à tout jamais un moment inoubliable. Elle s'était retenue de justesse de pleurer en les voyant s'éloigner dans le pick-up, si heureux et si semblables par bien des aspects. Maintenant qu'il avait retrouvé son fils, Ian allait sûrement mieux comprendre ce qu'il avait à perdre en prolongeant sa relation avec elle. Lui qui n'avait pas eu l'occasion de voir grandir Gavin, il allait sans doute désirer encore plus avoir des enfants et les voir grandir, jour après jour.

Ignorant la sensation de malaise qu'elle éprouvait à l'idée de voir Ian la remplacer par une autre femme, Amanda finit d'arroser puis rangea le tuyau. Elle s'assit ensuite sous le porche, s'abîmant dans ses pensées. Elle avait perdu toute notion du temps quand elle vit soudain la voiture de Gavin s'engager dans l'allée. Les deux hommes échangèrent une étreinte virile avant de se séparer. Puis Gavin lui fit un petit signe avant de repartir.

Ian regarda le véhicule s'éloigner.

— C'est un bon conducteur, dit-il avec un sourire fier.

Puis il tendit à la jeune femme un gobelet fermé.

— Je ne vais pas rester, mais nous t'avons rapporté un milk-shake.

— Oh, merci.

Leurs mains se frôlèrent et Amanda sentit son cœur se serrer à l'idée de ce qu'elle allait lui dire, même si cela valait mieux ainsi.

— Ne te crois pas obligé de partir précipitamment. Je ne suis pas fatiguée à ce point.

Elle but quelques gorgées sans en sentir vraiment le goût. Le geste de Ian la touchait profondément. Même tout à son bonheur de passer un premier tête-à-tête avec son fils, il avait pensé à elle. Pourquoi fallait-il qu'il soit aussi gentil ? Il lui rendait la tâche encore plus difficile…

Mais avant qu'elle n'ait pu prononcer un mot, Ian s'assit près d'elle.

— Gavin est épatant. Nous avons passé un excellent moment.

Amanda sourit, heureuse de le savoir heureux.

— Parle-moi de lui…

Ian se lança dans un récit détaillé. Les sports préférés de Gavin, avec en vedette le bicross. L'endroit où il vivait, les disciplines qu'il étudiait.

— Tu te rends compte que pendant toutes ces années où je l'ai cherché, il habitait à seulement deux heures de route, à Johnson City ? Je n'en reviens pas encore. Au fait, il va venir avec les scouts, demain, si sa tante est d'accord. Ça va être un week-end d'enfer !

— C'est merveilleux. Je suis vraiment heureuse pour toi, Ian. Pour vous deux.

— Tout cela ne serait jamais arrivé sans toi. J'ai une dette.

— Tu n'as aucune dette. Le destin vous aurait sûrement réunis tôt ou tard. Je n'ai été qu'un modeste catalyseur.

— Ne minimise pas ainsi ton rôle.

Amanda regarda son milk-shake avant de reprendre :

— Ian, je veux que tu saches que la nuit dernière a beaucoup compté pour moi. Tu es l'homme le plus merveilleux, le plus attentionné et le plus généreux que j'aie jamais connu.

— Peux-tu me dire pourquoi je sens venir comme un « mais » ?

— Suis-je donc aussi transparente ?

— Ce n'est pas le qualificatif que j'emploierais. Il y a longtemps que je n'ai pas fréquenté une femme. J'espère que tu ne t'imagines pas que je cherchais juste un coup en passant. Cette nuit avec toi représente beaucoup plus pour moi.

— Tu me rends la tâche encore plus difficile. Ian, il faut nous arrêter là, laissa-t-elle enfin tomber, la gorge nouée. Nous ne devons pas laisser les choses continuer entre nous.

Ian la regarda un moment sans rien dire, sincèrement blessé, et Amanda s'en voulut d'être à l'origine de cette épreuve.

— Pourquoi ? Amanda, tu comptes plus pour moi que toutes les femmes que j'ai connues. Il me semblait que les choses allaient bien entre nous. Pourquoi veux-tu tout arrêter ?

— Tu sais bien pourquoi, répliqua Amanda, soudain agacée. Tu m'as dit que tu recherchais une compagne qui devienne la mère de tes enfants. Tu as aussi dit que nous étions tous les deux assez grands pour ne pas franchir certaines limites. La nuit dernière, nous avons franchi une limite. Nous n'aurions pas dû.

— Mais pourquoi tiens-tu autant à prendre une décision aussi hâtive ?

— Hâtive ?

A la fois blessée et irritée, Amanda dut lutter pour garder le contrôle de ses émotions. Le psychothérapeute qui l'avait aidée après la mort d'Anna l'avait prévenue : elle devait s'attendre à des sautes d'humeur. D'ailleurs, en tant qu'infirmière, elle savait que de telles sautes d'humeur étaient normales après une épreuve tragique, surtout après la perte d'un enfant.

Pourtant elle aimait Ian et s'en voulait énormément de réagir ainsi envers lui.

— Rien de tout ce qu'il m'est arrivé ces derniers mois n'a été hâtif, Ian. J'ai perdu un bébé. Un bébé qui n'était même pas le mien. Tu ne peux pas t'imaginer combien de fois je me suis repassé le film des événements. Je m'en suis voulu. Je voyais le visage de ma sœur à chaque fois que je fermais les yeux. J'ai peur d'avoir un enfant à moi. Je m'imagine qu'il va lui arriver quelque chose aussi. J'ignore si je pourrai un jour surmonter tout cela. Pour l'instant, je ne peux même pas m'imaginer porter un autre enfant. Alors, s'il te plaît, ne m'accuse pas de prendre une décision *hâtive*.

Prenant sur elle pour se radoucir, elle poursuivit :

— Ian, tu comptes beaucoup pour moi et je ne veux pas te voir souffrir. Je ne veux pas être celle qui te fera du mal. Je suis incapable de te donner ce que tu désires.

Comprends-moi. Ne pourrais-tu pas voir les choses en face et t'en tenir là ?

Le visage de Ian trahissait des émotions mêlées : la tristesse, l'empathie, la douleur, mais surtout l'amour. Amanda se détourna. Elle ne voulait pas savoir ce qu'il ressentait, ni se dire qu'il était tombé amoureux d'elle en si peu de temps et qu'il était sincère.

— Amanda, je t'en prie, regarde-moi. Tu ne crois pas que tu es un peu dure envers toi-même ? Tu es même excessivement dure avec toi-même, si tu veux mon avis.

— Que veux-tu dire ?

— Tu n'es pas sortie de chez ta sœur avec l'intention de perdre le bébé. C'était un accident. C'est comme ça dans la vie ; il y a des événements profondément injustes. Mais cela ne signifie pas que la même chose va se reproduire. Tu n'as pas le droit de t'accuser à tort. Prends-t'en à l'ordure qui t'est rentrée dedans, mais cesse de porter le poids de cette culpabilité. Tu n'es pour rien dans ce drame.

Amanda avait une boule dans la gorge, et le gobelet qu'elle tenait à la main lui semblait aussi glacé que le chagrin et la tristesse qui l'habitaient. Un chagrin qui ne disparaîtrait jamais.

— Cela ne changerait rien, de toute façon. Même si je cessais de m'en vouloir à cause de l'accident, cela ne ramènerait pas la petite fille de Nikki. Et savoir que je peux encore avoir des enfants alors que ma sœur n'en aura jamais ne m'aidera certes pas à me sentir mieux. Et j'ai trop peur maintenant pour essayer d'en avoir.

Amanda essuya une larme qui coulait sur sa joue. Elle s'en voulait terriblement d'avoir laissé les choses aller aussi loin avec Ian. Jamais ils n'auraient dû coucher ensemble. Non qu'elle n'éprouve rien pour lui, tout au contraire. Elle éprouvait pour lui ce qu'elle n'avait jamais éprouvé pour aucun homme, pas même Mark. Et elle le regrettait doublement. Elle n'avait pas le droit d'aimer cet homme… ni aucun autre. Du moins, pas tant que ses blessures ne se seraient pas refermées. Or, vu l'état qui était actuellement le sien, cela risquait de prendre des mois, voire des années… Peut-être même ne guérirait-elle jamais. Et il n'était pas question d'obliger quelqu'un d'autre à subir son anxiété. Pas question de permettre à Ian de l'aimer. Cela ne déboucherait que sur une déception dont elle serait l'entière et unique responsable.

— Franchement, je ne crois pas que les choses s'arrangent un jour pour moi, reprit-elle. Je t'en prie, essaie de me comprendre. Je ne peux prendre aucun risque dans ce domaine, et je ne peux pas te laisser en prendre non plus. Tout ce que je sais, c'est que j'ai besoin de temps. J'ai besoin que tu me laisses un peu seule, pour réfléchir. C'est pour réfléchir à tête reposée que je suis venue à Boone's Crossing.

— Très bien, dit-il en lui effleurant la joue. Je vais te donner du temps et te laisser tranquille. Mais je ne renonce pas à nous.

Il lui donna un court baiser qui n'était pas un baiser d'adieu.

— Je vais passer voir pépé et lui annoncer, pour Gavin. Prends bien soin de toi, Amanda. Si tu as besoin de moi, un simple coup de fil et j'accours.

Elle regarda sa voiture s'éloigner. Son baiser était encore présent sur ses lèvres, comme le manque qu'elle éprouvait déjà. Il subsista longtemps après que le pick-up de Ian ait disparu au loin.

*
* *

Le samedi matin, le ciel chargé reflétait à la perfection l'humeur d'Amanda. Elle espérait cependant que la pluie ne viendrait pas gâcher le week-end de camping des Cumberland Cubs, car elle souhaitait sincèrement voir Ian heureux. Au cours de ces deux jours, Gavin et lui allaient apprendre à mieux se connaître et sans doute serait-ce le début d'une relation durable entre eux. Pourtant, Amanda se sentait accablée de tristesse depuis qu'elle avait fait le premier pas pour s'éloigner de Ian. Si seulement les choses avaient pu être différentes. Elle se gara devant la maison de repos en tâchant d'afficher un air agréable. Elle avait hâte de voir Zeb, auquel Ian avait déjà annoncé la grande nouvelle.

Zeb était à son poste habituel dans le salon, où il jouait seul aux échecs, les jambes au chaud sous sa couverture en patchwork.

— Vous devez être au courant : Ian a retrouvé son fils, dit-il en souriant fièrement.

— Oui, je le sais. Et je suis vraiment contente pour lui.

— A qui le dites-vous ! Il va m'amener Gavin dès qu'ils seront rentrés de leur week-end de camping.

— Excellente idée.

— Ian va peut-être enfin se caser et avoir une bande de petits galopins bien à lui.

— C'est tout ce que je lui souhaite, répondit Amanda avec un sourire forcé.

Elle souhaitait réellement que Ian fonde une famille, mais pas avec elle. Bafouillant une rapide excuse, elle regagna son bureau. Elle avait hâte de commencer sa journée, hâte de se perdre dans le travail. Peut-être que noyer ses chagrins dans le travail n'était pas une aussi mauvaise recette, après tout.

Malheureusement, lorsqu'elle remonta dans sa voiture, elle comprit, déçue, que même une journée bien remplie n'avait pas réussi à lui faire oublier Ian. Que faisait-il en cet instant ? Etait-il en train de marcher avec Gavin et les scouts ? Ou en train de leur apprendre une nouvelle astuce de survie ?

Pensait-il à elle ?

Amanda rentra chez elle, fatiguée mais énervée. Peut-être ferait-elle bien de faire enfin le ménage dans la remise. Mais son humeur et ses projets changèrent tout à coup lorsqu'elle aperçut devant le chalet une voiture qui ne lui était pas inconnue. Nikki était installée sous le porche.

Amanda se précipita à sa rencontre, un grand sourire aux lèvres.

— Nikki ! Pourquoi ne m'as-tu pas prévenue de ton arrivée ?

Nikki accourut. Elle avait coupé ses cheveux et s'était teinte en blond clair. Amanda serra sa sœur contre son cœur, respirant son parfum familier. Puis Nikki, tout sourires, l'observa quelques secondes en silence.

— Je voulais te faire une surprise.

Bras dessus, bras dessous, elles regagnèrent la maison d'un même pas.

— Tu as vraiment bonne mine. On dirait que le climat du Tennessee te réussit.

Si elle se sentait mieux que la dernière fois que Nikki l'avait vue, sans doute fallait-il en remercier Ian, et non le climat. Telle fut l'idée qui lui traversa un instant l'esprit et qu'elle repoussa aussitôt, troublée. Comment se faisait-il qu'elle se sente infiniment mieux en présence de Ian, alors que ses sentiments et ses craintes l'empêchaient d'être heureuse ?

— Merci, Nikki. Toi aussi tu as l'air en pleine forme. J'adore tes cheveux !

Nikki avait maigri après l'accident. Amanda était ravie de voir qu'elle avait repris son poids normal.

— Merci, dit Nikki. Comme c'est bizarre d'être de retour chez Granny ! Mais je suis ravie d'être là.

— Ce qui est certain, c'est que cet endroit me rappelle notre enfance.

— A moi aussi. J'ai hâte que tu me racontes tout. Cela fait si longtemps que nous n'avons pas bavardé.

— Je sais.

Amanda retira son uniforme en soupirant. Malgré son intention de garder le contact, elle n'avait pas rappelé Nikki depuis sa journée de shopping avec Sami Jo. Tant de choses s'étaient passées depuis. Pourtant, la plupart du temps, elle ne savait que dire à Nikki. Même à présent, son enthousiasme était atténué par la tristesse qu'elle devinait au fond des yeux de sa sœur, et par les cernes que même le maquillage et la nouvelle coloration ne réussissaient pas à cacher.

— Quand je pense que tu as fait toute cette route toute seule ! Pourquoi n'as-tu pas pris l'avion ?

— J'ai pensé que la route serait un bon remède. Seule avec mes pensées pendant deux mille cinq cents kilomètres… excepté les milliers de fois où Cody m'a appelée pour voir si tout allait bien ! A vrai dire, j'ai trouvé cette route interminable. J'ai bien cru ne jamais voir le bout du Kansas !

— Raconte-moi ton voyage, lui demanda Amanda, qui se rappelait l'effort que lui avait demandé ce périple.

— J'ai adoré les prairies, le lever du soleil sur un horizon dégagé.

La traversée de la partie est du Colorado, puis du Kansas avait été un des rares moments de son voyage où Amanda s'était sentie détendue. Pendant un certain temps après l'accident, elle avait eu peur de reprendre le volant. Même à présent, conduire sur une route à double sens lui donnait des sueurs froides, sans parler de l'autoroute. Pour atteindre le Tennessee, elle s'était cramponnée si fort au volant qu'elle avait eu des crampes horribles à chaque fois qu'elle s'était arrêtée.

— Où sont tes bagages ? s'enquit-elle pour chasser ces mauvais souvenirs.

— Je les ai déjà déchargés.

— Tu veux boire quelque chose ?

— Comment donc ! Et je meurs de faim !

— Je vais t'arranger ça en suivant !

Quel plaisir de voir que Nikki avait aussi retrouvé l'appétit. Amanda elle-même avait mis un certain temps à s'alimenter normalement, moyennant quoi les kilos pris pendant sa grossesse s'étaient envolés en un rien de temps.

— Je me change, et je vais nous préparer un petit festin.

Elles s'installèrent dans la cuisine pour déguster leur poulet grillé accompagné de haricots verts et d'une salade composée.

— Alors, comment va Cody ?

— Ça va, soupira Nikki.

— Et ?

— Et… je n'ai jamais rien pu te cacher ! En fait, nous avons décidé de prendre un peu nos distances. Cela devrait nous aider à remettre notre mariage sur les rails.

Voilà qui ne rappelait que trop à Amanda ce qu'elle avait dit à Ian.

— Et tu es venue ici ?

— Comme toi. Pour réfléchir. Cody envisage de s'installer ailleurs pour un moment.

— Oh, Nikki…

Amanda avait soudain perdu tout appétit.

— Je t'interdis de réagir ainsi. C'est pour cela que je ne voulais pas t'en parler. Je savais que tu t'en imputerais la faute alors que tu n'y es pour rien. Tu sais bien que cela n'allait déjà plus très bien entre Cody et moi avant l'accident.

— Mais cela allait mieux après que vous ayez décidé de me faire porter votre enfant…

Ils étaient si heureux. Enfin, ils allaient avoir un enfant. Les yeux d'Amanda s'emplirent de larmes.

— Excuse-moi. Je m'étais pourtant promis de ne plus pleurer devant toi.

— Ne t'inquiète pas, ma chérie, la rassura Nikki, le regard brillant. Bien sûr, cette grossesse nous a comblés de joie. Mais notre mariage rencontrait aussi d'autres problèmes. Cesse de t'en vouloir. Je t'en prie. Cela me fait vraiment de la peine de te voir souffrir.

— A moi aussi. J'aimerais tant que les choses s'arrangent entre Cody et toi.

— Elles finiront par s'arranger, d'une façon ou d'une autre. Je pense que ce voyage est une bonne chose pour nous deux. C'est l'occasion pour moi de revoir ma sœur, et pour lui de prendre du recul par rapport à notre couple.

— Et ensuite ?

— Je ne sais pas. Cody songe à s'installer chez Jordan pour un certain temps. Néanmoins, nous avons convenu qu'il attendrait mon retour avant de prendre sa décision. Il aura peut-être changé d'avis d'ici là.

Jordan était le coéquipier de Cody dans la police. C'était un célibataire qui collectionnait les conquêtes. Comment un homme marié qui traversait des problèmes de couple allait-il supporter une vie sentimentale aussi décousue ?

Si elle regrettait que Cody et Nikki aient des problèmes, Amanda était ravie que sa sœur vienne loger chez elle. Peut-être l'absence de Nikki allait-elle effectivement décourager son mari de quitter le domicile conjugal. Peut-être la visite de Nikki était-elle exactement ce qu'il fallait à Amanda pour l'aider à mettre les choses au point entre Ian et elle. Ce dernier allait pouvoir se consacrer à Gavin, et elle à sa sœur. Avec un peu de chance, leur relation prendrait fin d'elle-même sans trop de complications.

— Combien de temps vas-tu rester ?

— Deux semaines ? Peut-être plus, si tu me supportes.

— Te supporter ? Il faut voir… Prends garde que je ne te laisse plus repartir !

— Attention à ce que tu dis. Cody pourrait te prendre au mot !

Toutes deux éclatèrent de rire, comme autrefois lorsqu'elles étaient enfants. Amanda se sentit soudain revivre ; c'était vraiment bon de rire avec Nikki.

Voilà qui compensait largement toutes les larmes qu'elle avait versées dernièrement.

Non sans fierté, Ian suivait des yeux Gavin qui emmenait un groupe de scouts près de la rivière, à la recherche de pointes de flèches. Les gamins avaient adopté Gavin comme des canetons orphelins. Ils le suivaient pas à pas et le regardaient avec admiration. Gavin, lui, les régalait d'anecdotes vécues dans des compétitions de bicross et d'astuces qu'il avait apprises dans l'espoir de concourir un jour à son tour. Bien des adolescents de son âge auraient méprisé des gamins de neuf ou dix ans. Pas lui.

— Ian, regarde !

Jacob arriva en courant, rouge de plaisir, exhibant une pointe de flèche pratiquement intacte.

— Je l'ai trouvée là-bas, près de cet arbre !

— Dis donc ! C'est incroyable ! s'exclama Ian en examinant la trouvaille avec l'admiration due à un tel trésor.

Puis il adressa un clin d'œil à Gavin. C'était ce dernier qui avait découvert la pointe de flèche plus tôt dans la journée. Mais voyant que Jacob ne trouvait rien, il l'avait disposée à un endroit où l'enfant pouvait la trouver. Lorsque Gavin lui retourna son clin d'œil complice, Ian sentit son cœur se gonfler d'amour.

Le groupe continua ses recherches. En fin d'après-midi, les nuages arrivèrent et il se mit à pleuvoir dru. Les enfants s'abritèrent en attendant la fin de l'averse. Avant la tombée de la nuit, Neil et Ian supervisèrent la préparation du feu de camp, puis s'adonnèrent aux incontournables récits d'histoires qui font peur. Quand tout le monde fut couché sous sa tente, Ian installa son sac de couchage à la belle étoile, malgré le sol mouillé, et tendit l'oreille pour écouter les bruits de la nuit. Au-dessus de sa tête, les nuages s'étaient déchirés, dévoilant des volées d'étoiles accrochées au ciel noir. Il aimait ces moments de pur bonheur.

— Cela ne t'ennuie pas que je m'installe ici aussi ? demanda Gavin.

— Pas du tout. Fais comme chez toi.

Ian échangea un sourire avec son fils, tout au plaisir d'être en sa compagnie. Ils contemplèrent le ciel en silence.

— Les étoiles brillent drôlement plus à la campagne, déclara Gavin.

— Mmm.

Ian voyait soudain le ciel étoilé d'un œil nouveau. Lui qui avait toujours eu la chance de vivre dans une ferme, il avait eu l'occasion de voir tous les jours ce que les enfants des villes ne voient que rarement.

— Tu sais, je regardais souvent les étoiles en me demandant si toi aussi tu étais en train de les regarder. Je me demandais où tu étais... Ce que tu faisais en cet instant. Et je me demandais si tu avais des parents qui t'aimaient, si tu étais heureux.

— Je crois que j'ai eu de la chance d'être adopté par des gens comme eux.

Comme Gavin lui décrivait ses parents adoptifs, Ian, loin d'éprouver de la jalousie cette fois, se sentit encore plus redevable envers ces gens qui avaient su aimer Gavin comme leur fils.

Nathan Brock était pédiatre, sa femme, Sandy, aide-familiale. Il était évident que tous deux avaient consacré et consacraient encore beaucoup de temps à Gavin. Ils le soutenaient dans sa passion pour le bicross et partaient chaque année en vacances avec lui dans un endroit choisi à l'unanimité. Leur existence offrait un tableau paisible, sans oublier le chien de la famille, un chien de traîneau baptisé Klondike.

— Tes parents ont l'air d'être des gens bien.

— Oui. Tu sais, je n'ai jamais vraiment pensé à ce que tu avais dû ressentir en m'abandonnant. Je veux que tu saches que je ne t'en veux pas. J'ai l'âge que tu avais à l'époque, et je ne me vois vraiment pas être père.

— Surtout, ne te presse pas de changer d'avis !

— Pas de danger. Actuellement, je suis trop pris par le vélo pour penser aux filles. C'est vrai que grand-père Zeb s'est marié à dix-sept ans ?

— Absolument vrai.

— J'ai hâte de le voir.

— Il a hâte lui aussi.

Un silence heureux s'installa.

— Je suis rudement content de t'avoir retrouvé, Ian.

— Moi aussi, fils.

Ian remercia le ciel de cette seconde chance qui lui était accordée. Allongé sur le sol, il contempla les astres près de ce jeune homme qui était son fils, en songeant que seule la présence d'Amanda aurait pu rendre ce moment encore plus parfait.

15.

Le dimanche matin, Amanda se leva de bonne heure en priant pour que sa sœur ne remarque pas la date. Elle-même avait essayé en vain de l'oublier : le vingt juin, terme de sa grossesse. Sans l'accident, ce jour aurait été un jour de bonheur, avec l'arrivée imminente de la petite Anna.

Tenaillée par une douloureuse sensation de manque, elle alla prendre son café sous le porche. Autour d'elle, les oiseaux gazouillaient gaiement dans les arbres, faisant écho au ruisseau qui bouillonnait paisiblement. Elle aurait aimé connaître une pareille insouciance.

— Tu es tombée du lit ?

Tirée de sa rêverie, Amanda aperçut Nikki.

— Je croyais que tu dormais encore.

— Tu plaisantes ! Pour rien au monde je n'aurais manqué cette splendide matinée.

Amanda sourit. Nikki avait toujours fait preuve de force de caractère et savait voir le bon côté des choses. C'est d'ailleurs pourquoi Amanda avait été tellement triste de la voir aussi effondrée ces derniers mois. Nikki s'installa près d'elle munie d'une tasse de café. Elles restèrent un moment silencieuses, jouissant simplement des bruits de la nature et de la présence de l'autre.

— Bon, qu'aimerais-tu faire aujourd'hui ? demanda enfin Amanda.

— Je n'en sais rien. Qu'avais-tu prévu de faire avant que je ne débarque ?

— Rien de bien passionnant, hélas. J'avais songé à un grand nettoyage dans la remise. Il y a encore toutes les vieilleries de Granny à l'intérieur.

— Quand je pense que m'man a laissé tout ça là. Au fait, tu as eu de ses nouvelles dernièrement ?

Bridget avait quitté le Montana pour assister aux funérailles d'Anna. Puis, sûre que ses filles pouvaient compter l'une sur l'autre, comme toujours, elle avait jugé inutile de s'attarder davantage.

— Aucune nouvelle depuis que je l'ai appelée pour lui dire que j'emménageais ici. Et toi ?

— J'ai reçu une carte postale d'elle il y a quelques semaines. Elle venait d'Alaska.

— D'Alaska ? Mais que peut-elle bien faire là-bas ?

— Elle a décidé de faire fortune en élevant des chiens de traîneaux ! Elle s'est découvert cette nouvelle passion en répondant à une petite annonce publiée par un cœur solitaire cherchant l'âme sœur.

— Oh, Nikki, dis-moi que ce n'est pas vrai !

Même si Bridget avait toujours eu un cœur d'artichaut, elle avait toujours fui devant les hommes dès qu'il s'agissait de s'engager d'une manière ou d'une autre. Elle n'avait eu que de rares liaisons suivies et encore, celles-ci n'avaient guère duré longtemps.

— Je t'assure que je n'invente rien. Elle prétend avoir enfin trouvé l'homme de sa vie. J'espère qu'elle ne s'est pas trompée.

— Peut-être celui-là parviendra-t-il à la calmer un peu.

Amanda ne souhaitait que le bonheur de sa mère. Si elle restait suffisamment longtemps au même endroit, peut-être le bonheur réussirait-il à la rattraper.

— Tu n'as pas répondu à ma question : qu'aimerais-tu faire aujourd'hui ? reprit Amanda.

— T'aider à faire le ménage dans la remise.

— Ne te crois pas obligée de m'aider. Ce n'est pas une occupation pour quelqu'un qui veut se reposer.

— Allons, ce sera très drôle de fouiller dans le bric-à-brac de Granny. Tu te rappelles comme nous aimions nous déguiser avec ses chaussures à hauts talons et ses bijoux quand nous étions petites ?

Amanda se força à sourire mais elle n'avait guère la tête aux déguisements. Les souvenirs du jour où elle avait pénétré dans la remise avec Ian envahirent soudain ses pensées. Pourquoi exposer Nikki au chagrin qu'elle avait ressenti en découvrant le berceau ? Surtout aujourd'hui.

— Je m'en souviens. Mais tu ne crois pas, Nikki, que tu pourrais occuper autrement tes vacances ?

— Je suis surtout venue ici pour être avec toi. J'aurai tout le temps de faire du tourisme les jours où tu travailleras. Termine ton café et mettons-nous à l'ouvrage.

Nikki se promena le long du porche tout en finissant sa tasse.

— Ces rosiers sont splendides. Tu les as plantés récemment ?

— Oui...

Amanda hésita. Elle n'avait pas parlé de Ian à sa sœur. Elle savait d'avance que Nikki aurait insisté pour qu'elle donne une chance à cette relation.

Comme si elle devinait ses pensées, sa sœur l'observa attentivement.

— Tu allais ajouter quelque chose, il me semble. De quoi s'agit-il ?

— Rien, dit Amanda en affichant un air nonchalant.

— Pas de ça avec moi. Allons, qu'est-ce que tu me caches ? Tu as la tête d'une gamine prise en train de sortir par la fenêtre.

— Ces roses sont un cadeau, soupira Amanda. Un cadeau... d'un ami.

— Un ami ? Voyez-vous ça !

— Oui, là. Tu es contente, maintenant ?

— Non. Je veux en savoir davantage. Qui est-ce ? Est-ce que vous sortez ensemble ? Est-ce que c'est sérieux entre vous ?

Amanda sourit malgré elle devant l'insistance de sa sœur.

— Je ne sais pas si on peut appeler cela une histoire sérieuse...

Quel mensonge ! Les choses n'étaient-elles pas allées plus loin entre Ian et elle qu'elle ne l'avait espéré ? Mais il n'était pas question d'avouer comme elle se sentait bien en sa présence, ni même de s'imaginer comme la vie serait agréable en compagnie d'un tel homme. Aussi, après avoir raconté à Nikki comment elle avait fait la connaissance de Ian, elle lui expliqua, sans entrer dans les détails, qu'ils avaient décidé de prendre du recul. De réfléchir un peu.

— Eh bien, je ne vois pas où est le mal, approuva Nikki, qui semblait néanmoins soupçonner qu'Amanda ne lui avait pas tout dit. J'aimerais faire sa connaissance.

— A quoi bon, puisque cette relation est sans avenir ?

— Comment peux-tu dire une chose pareille ? Ce Ian me fait l'effet d'être un type bien. Vous avez couché ensemble ?

— Nikki !

— Alors : oui ou non ?

Amanda soupira. Après tout, essayer de mentir à sa sœur était inutile.

— Oui. Mais nous n'aurions pas dû. C'est pourquoi nous avons décidé de prendre nos distances pendant un certain temps.

— Amanda, pourquoi t'infliges-tu une chose pareille ? demanda soudain Nikki d'un air attristé.

— M'infliger quoi ?

— Tu sais parfaitement ce que je veux dire. Tu te punis toi-même, et ce n'est pas juste. Je ne veux pas que tu réagisses ainsi.

— Tu te trompes, je t'assure.

Amanda s'absorba dans la contemplation de sa tasse de café, s'attendant à ce que Nikki insiste. Sa sœur était plus obstinée qu'un chien avec son os.

— Bien, dit cette dernière en se levant. Au travail maintenant !

Pour Amanda, cette capitulation précoce avait quelque chose de louche. Cependant, Nikki avait réussi, mine de rien, à ramener la conversation sur le rangement de la remise. Amanda songea à nouveau au berceau sans trouver aucun prétexte pour remettre ce nettoyage à un autre jour. Mais elle ne voulait pas non plus exposer inutilement Nikki à subir ce qu'elle avait subi en découvrant le berceau.

— Attends une seconde.

Nikki s'immobilisa sur les marches du perron, le regard interrogateur.

— Si j'ai reporté ce nettoyage, c'est parce que j'y ai trouvé l'autre jour quelque chose… quelque chose qui m'a dérangée.

Nikki changea d'expression.

— Le berceau, soupira-t-elle.

— Laisse tomber Nikki. Je m'occuperai du berceau et de la remise une autre fois.

— Pas question. Je ne vois pas pourquoi tu devrais t'en occuper toute seule. Je sais parfaitement quel jour nous sommes, tu sais. C'est en partie à cause de cela que je suis venue, pour être auprès de toi aujourd'hui, afin que tu ne sois pas seule en ce jour difficile.

Nikki la rejoignit. Sa voix se fit plus grave.

— Parfois, j'aimerais n'avoir jamais accepté que tu portes cet enfant. Pour rien au monde je n'aurais voulu t'exposer à souffrir autant, physiquement et émotionnellement.

La voyant sur le point de craquer, Amanda la serra dans ses bras.

— Je t'en prie, ne te fais pas du mal inutilement. Nous avons déjà parlé de tout cela. Tu sais bien que je t'aime et que je voulais t'aider.

— D'accord, d'accord… allons-y. Nous allons faire ce nettoyage à deux, comme nous avons toujours tout fait.

Nikki faisait de visibles efforts pour sourire. Voyant sa sœur prête à revoir le berceau, même si cette épreuve risquait d'être encore plus éprouvante pour elle, Amanda reprit confiance et capitula.

— Alors attends-moi une minute, je vais chercher la clef.

Amanda n'avait pas mis les pieds dans la remise depuis que Ian y avait réparé sa fenêtre, sauf pour repousser le berceau sous l'établi. Lorsqu'elle ouvrit la porte et sentit l'air chaud et l'odeur de renfermé, elle failli céder à la claustrophobie.

— Pouah ! Il va falloir aérer ici, grimaça Nikki en s'éventant.

Ignorant volontairement le berceau, qu'elle ne pouvait pourtant avoir manqué de remarquer, elle alla ouvrir la fenêtre au-dessus de l'établi. Elle se fraya ensuite un chemin à travers un fatras d'objets divers pour aller ouvrir la seconde fenêtre. Puis, examinant la double porte située au fond du bâtiment :

— Nous ne pourrons jamais ouvrir cette porte pour créer un courant d'air, avec toutes les cochonneries qui sont empilées au fond. Tu n'aurais pas un ventilateur, par hasard ?

— Si. Je vais le chercher.

Lorsque Amanda revint munie d'un ventilateur, Nikki, déjà au travail, triait le contenu d'un carton.

— Hé, regarde ce que j'ai trouvé !

En se retournant pour examiner la découverte de sa sœur, Amanda sourit.

— La bride de Popcorn !

Elle brancha le ventilateur et rejoignit Nikki. Aussitôt les souvenirs du temps où elles montaient leur petit poney lui revinrent, comme si c'était hier.

— Tu te rappelles quand nous faisions du poney dans le verger ?

Nikki, attendrie, enroula les rênes autour de ses doigts, puis les huma.

— J'adorais l'odeur de son pelage. Une odeur chaude et sucrée.

— Moi aussi. Je n'ai jamais compris les gens qui trouvent que les chevaux sentent mauvais.

Amanda n'avait pas monté depuis une éternité, bien que Nikki et Cody possèdent des chevaux. Tout cela — ironie du sort — pour ne prendre aucun risque pendant sa grossesse. La dernière monture qu'elle ait approchée dernièrement était Banjo, la mule de Zeb. Elle se rappelait sa robe soignée, couleur daim, le claquement de ses sabots sur la chaussée, lorsque Ian l'avait emmenée promener en buggy, avec Cuddles...

Voyant que Nikki l'observait, elle s'arracha à ses rêveries.

— Que serions-nous sans les souvenirs ? soupira-t-elle.

Si seulement il n'y avait que des bons souvenirs ! Malgré elle, Amanda jeta un coup d'œil furtif vers l'établi. Nikki, qui avait suivi son regard, posa la bride et s'approcha du berceau, qu'elle entreprit de tirer hors de sa cachette.

— Nikki...

— Ne t'en fais pas.

Amanda vint lui prêter main forte. A deux, elles le délogèrent.

— J'aurais dû le sortir de là depuis longtemps, dit Amanda. J'ai l'intention d'organiser un vide-grenier pour me débarrasser de la plupart de ces vieilleries. Je suis sûre que quelqu'un saura faire bon usage de ce berceau.

Aussitôt Nikki la dévisagea comme si elle venait de recevoir une gifle.

— Comment peux-tu dire une chose pareille ?

— Pourquoi ? Ecoute, Nikki...

Mais les mots s'étranglèrent dans sa gorge. Les choses avaient tellement changé depuis le jour où elles avaient évoqué ce berceau devant leurs amies venues fêter la naissance prochaine du bébé. A ce moment-là, tout allait encore pour le mieux. Anna était encore bien vivante, à l'abri dans son ventre. Mais à présent, tout était différent.

Nikki se radoucit et posa une main sur l'épaule de sa sœur.

— Je t'ai déjà dit que tu devais cesser de t'en vouloir, Amanda.

Retenant ses larmes, elle poursuivit :

— Il n'est pas question que ce berceau s'en aille où que ce soit. Il n'ira pas dans une autre famille. Je veux que tu berces tes enfants dans ce berceau, Amanda. Je veux que tu sois heureuse.

Amanda, au bord des sanglots, essaya de se contenir.

— Jamais, murmura-t-elle, d'une voix étranglée.

Mais comment dire qu'elle ne voulait pas d'enfant à sa sœur, qui désirait tant en avoir ? Pour la première fois, Amanda se sentit très égoïste de penser cela. Elle embrassa Nikki sans savoir que dire. Il n'y avait pas de réponse toute faite à leur problème.

— Mais bien sûr que si. Je suis sûre que tu auras des enfants un jour. Tout ce qu'il te faut, c'est du temps. Comme moi. Comme Cody. Mais, je t'en prie, ne donne ce berceau à personne. Promets-le-moi.

Nikki faisait preuve d'une force qu'elle était loin d'avoir, hélas. Aussi, pour ne pas lui faire de peine, et bien que sachant qu'elle se trompait, Amanda hocha la tête.

— D'accord.

— Et maintenant, au travail ! Nous ne sommes pas au bout de nos peines si nous voulons nous frayer un passage dans cette jungle !

Amanda aida sa sœur à transporter le berceau dans un coin de la remise.

— Nous allons mettre tout ce que nous voulons garder dans ce coin, décréta Nikki, éternelle organisatrice.

Elles entreprirent de trier toutes sortes d'objets, des bocaux à conserves aux outils de grand-père Satterfield, dont Granny n'avait jamais voulu se séparer. Ces outils rappelèrent Ian à Amanda. Il avait été tellement adorable avec elle, dans la remise. Plein de douceur, il l'avait réconfortée avec des paroles attentionnées et sincères. Lui aussi méritait d'être heureux, avec une femme et tous les enfants qu'il désirerait.

Certes, elle garderait le berceau, puisque Nikki y tenait et qu'il leur rappelait leur enfance.

Mais il continuerait à prendre la poussière dans la remise.

Pour Amanda, la semaine passa rapidement, remplie par le travail à la maison de repos et le plaisir d'avoir Nikki avec elle. Le mardi, elles allèrent porter des fleurs sur la tombe de Granny, malgré les craintes que nourrissait Amanda à l'idée d'emmener sa sœur au cimetière. Toutes deux avaient eu plus que leur compte de morts. Pourtant Nikki avait tenu à aller rendre hommage à Granny. Quant à Amanda, il est vrai qu'elle songeait déjà depuis un moment à apporter quelques roses sur la tombe de leur grand-mère. Y aller avec Nikki était plus réconfortant que de s'y rendre seule. Elles s'étaient tenues par la main comme du temps où elles étaient petites et avaient dit une prière devant la pierre tombale. En quittant le cimetière, Amanda s'était prise à imaginer Granny berçant la petite Anna, entourée d'anges entonnant une berceuse.

Tout le reste de la semaine, Amanda fit en sorte que sa sœur passe un agréable séjour à Boone's Crossing. Son travail se terminant presque toujours à 16 heures, il leur restait du temps pour s'amuser ensemble en fin de journée. Insistant pour s'occuper en l'absence de sa sœur, Nikki avait continué à trier les affaires entassées dans la remise. Ainsi, il leur serait plus facile de choisir les objets destinés au vide-grenier et ceux qu'elles désiraient conserver.

Amanda avait revu Ian. Une première fois le lundi, lorsqu'il avait amené Gavin à Shade Tree Manor, afin de le présenter à Zeb. Une seconde fois le jeudi, lorsqu'il était venu lui rendre visite chez elle.

Nikki était tombée sous le charme de ses manières désuètes et de son humour. Amanda, elle, avait eu le plus grand mal à se contenir. Elle brûlait de le serrer dans ses bras et de l'embrasser.

Au moment de partir, il l'avait prise par la taille, l'entraînant avec lui vers sa voiture. Lorsqu'il l'avait embrassée, elle s'était laissée faire sans protester, afin de ne pas provoquer de scène devant Nikki. Ian lui avait promis de revenir bientôt, et son regard lui avait confirmé ce qu'il avait dit précédemment : il ne considérait pas leur relation comme terminée.

De retour à l'intérieur du chalet, elle avait de nouveau reçu la bénédiction de Nikki concernant cette liaison. Amanda avait beau essayer d'éviter le sujet et de combattre ses sentiments, les arguments de Nikki en faveur de Ian ne lui facilitaient pas la tâche.

Au début du week-end, le temps se gâta soudainement. Quel meilleur prétexte qu'un samedi pluvieux pour aller flâner dans la galerie marchande ? Amanda appela Sami Jo pour l'inviter à se joindre à sa sœur et à elle. Toutes trois décidèrent d'aller au cinéma voir une comédie romantique. Puis elles se promenèrent, dégustant des pommes d'amour et faisant du lèche-vitrine, comme trois vieilles copines.

Malgré elle, Amanda regardait à la dérobée le ventre encore plat de Sami Jo. Plat, il ne le resterait pas longtemps. Comment allait-elle réagir lorsque la jeune femme commencerait à s'arrondir ? Pourquoi pas comme réagirait n'importe quelle amie sincère ? Car elle était sincèrement heureuse pour Sami Jo. En outre, les bébés faisaient partie de la vie, de ces réalités qu'elle ne pourrait pas éternellement ignorer. Où qu'elle pose les yeux, ce n'était que femmes enceintes ou bébés en poussettes.

Remarquant que Nikki semblait observer avec une attention particulière une fillette vêtue d'une robe jaune et d'un bob assorti, son instinct protecteur envers sa sœur se réveilla aussitôt.

— Si nous allions nous offrir une pizza ? proposa-t-elle en passant son bras sous celui de sa sœur.

— Hugh Grant plus une pizza, tout ça le même jour ? Je sens que je vais défaillir ! lança Sami Jo.

Nikki éclata de rire. Aussitôt, Amanda sentit son moral remonter en flèche. A tel point qu'elle se goinfra de pizza aux poivrons avec supplément de fromage, d'oignons et d'olives. Si bien que le lendemain matin, elle se leva toute barbouillée.

— Tu n'as pas l'air dans ton assiette, lui fit remarquer Nikki. Tu n'aurais pas abusé des bonnes choses, hier ?

— La prochaine fois, empêche-moi de mélanger popcorn, pommes d'amour et pizza suprême royale !

Une infusion de menthe lui permit néanmoins d'atténuer ses nausées.

Le lendemain, elle allait mieux. Cependant, à l'approche du week-end du quatre juillet, les nausées la reprirent et elle commença à s'inquiéter sérieusement. La chose qu'elle redoutait le plus s'était-elle produite pour de bon ? Etait-elle enceinte ? Cette fois, pour refouler la panique qui pointait son nez, elle employa une autre méthode en plus des techniques de relaxation : elle pensa à Nikki, à la nécessité de rester calme pour elle. Et aussi à Ian, au bien-être, à la chaleur, au bonheur qu'elle éprouvait en sa présence.

Elle ne l'avait guère vu récemment, en dehors de ses visites à la maison de repos. Aussi n'avait-elle pas su résister lorsqu'il les avait invitées, sa sœur et elle, à une réunion de famille autour d'un barbecue. Où était le mal, avec tout ce monde autour d'eux ? Il ne s'agissait pas d'un tête-à-tête et, d'ailleurs, elle n'avait jamais dit qu'elle cesserait complètement de le voir. Certes, il n'était pas évident de ne voir en lui qu'un simple ami. Mais avec un petit effort, tout devait pouvoir se gérer parfaitement.

Nikki avait prévu de rentrer chez elle après le week-end du quatre juillet, jour de la fête nationale. Amanda, qui regrettait déjà de la voir partir, espérait du moins que grâce à ce séjour dans le Tennessee, Cody et elle se seraient suffisamment manqués pour vouloir donner une nouvelle chance à leur mariage.

Le vendredi précédent ledit week-end, pendant ses heures de travail, Amanda dut courir à plusieurs reprises jusqu'aux toilettes. Cette fois, elle eut peur pour de bon. Roberta, pour la taquiner, l'accusait d'être comme toutes ces infirmières qui, à force de se préoccuper de la santé de leurs patients, négligeaient la leur. Comme on parlait d'une épidémie de grippe estivale, Amanda fut trop heureuse de laisser ses collègues croire qu'elle en était victime.

Pourtant maintenant, elle savait. Après le travail, elle rentra chez elle la mort dans l'âme. Ses seins étaient hypersensibles. Quant à la date de ses règles, elle n'était pas encore passée. Mais la perte d'Anna l'avait tellement traumatisée qu'elle était déréglée depuis. Et si elle s'était trompée en calculant qu'elle se trouvait dans une période « sans risque », le soir où elle avait couché avec Ian ? N'était-elle pas bien placée pour savoir que le risque zéro de grossesse n'existait à aucun moment ? Mais les sentiments qu'elle éprouvait pour Ian l'avaient poussée à céder à la tentation du moment.

Elle voulait cependant cacher ses malaises à Nikki. Pas question de faire partager ses doutes à sa sœur. D'autant qu'elle n'avait pour l'instant aucune certitude. Mais même une fois certaine, comment lui annoncer la nouvelle ? Et comment l'annoncer à Ian ? La tête lui tournait. Il ne lui restait plus qu'à espérer s'être trompée.

Le barbecue familial devait avoir lieu chez Ian, Sami Jo n'ayant pas un jardin assez grand. Quant au reste de leurs parents, ils vivaient dans le Kentucky ou en Virginie, ce qui aurait représenté un trop long voyage pour Zeb. Ce dernier, dont la hanche guérissait peu à peu, avait dernièrement fait quelques pas en s'aidant d'un déambulateur. Matthew, le père de Ian, devait venir de Virginie et passer à la maison de repos prendre Zeb.

Amanda éprouvait une certaine appréhension à l'idée de faire la connaissance du père de Ian et du reste de sa famille. Tous finiraient par la haïr pour avoir brisé le cœur de Ian. Elle n'en était que plus décidée à lui faire comprendre l'inutilité de poursuivre leur relation.

Oui, mais si elle était bel et bien enceinte ?

Elle se rendit au pique-nique en voiture avec Nikki, en priant pour avoir retrouvé suffisamment d'appétit pour ne pas éveiller les soupçons de Ian. Cependant, la simple idée des hot dogs et du ketchup suffit à lui soulever le cœur. On avait tort de parler de « nausées matinales », car son estomac à elle lui donnait des nausées à toute heure !

Elle n'avait pourtant pas souffert de ces malaises lors de sa précédente grossesse. Et si tout cela était purement mental ? Si elle souffrait de symptômes psychosomatiques dus au contrecoup de l'accident et au fait de se retrouver à nouveau en présence de Nikki ?

Mais l'infirmière en elle savait bien qu'il n'en était rien.

16.

Ian regardait Amanda se mêler aux membres de sa famille. Ce n'était pas sans fierté qu'il l'avait présentée à son père, ses tantes, oncles et cousins. De même qu'il avait été fier de leur présenter Gavin. Après leur week-end de camping avec les Cumberland Cubs, et avant de présenter Gavin à Zeb, il était allé voir la tante du jeune homme. Tante Betty comprenait parfaitement que Gavin ait besoin de temps pour faire connaissance avec sa nouvelle famille. Après avoir consulté Nathan et Sandy Brock, elle avait accepté que Gavin se rende au barbecue.

Ian exultait. Son fils était là, riant et discutant avec Zeb et Matthew, ce grand-père qui l'avait autrefois rejeté et ne cachait plus sa joie, à présent, de faire enfin sa connaissance. Et surtout, Amanda était là, en compagnie de Nikki, qu'il avait tout de suite trouvée sympathique. La complicité entre les deux sœurs était une telle évidence que Ian comprenait mieux maintenant pourquoi Amanda s'était proposée pour porter l'enfant de sa sœur et pourquoi la perte du bébé les avait si profondément bouleversées toutes deux. Il n'en avait jamais douté, mais le fait de voir les deux sœurs ensemble rendait cette triste histoire encore plus réelle, encore plus tragique.

Il s'approcha de l'arbre à l'ombre duquel s'était assise Amanda, en compagnie de Nikki et de Sami Jo. La jeune femme caressait du bout du pied le ventre de Cuddles dont les soupirs d'aise faisaient rire les trois amies. Mais malgré son sourire, Amanda semblait pourtant bien pâle. De légers cernes se dessinaient sous ses yeux. Inquiet, Ian s'assit près d'elle dans une chaise longue et lui prit la main.

— Tu te sens bien ? Tu as une petite mine.

— Je vais très bien, répondit-elle vivement en pâlissant d'un ton.

Après lui avoir touché le front, Ian fut rassuré.

— Tu n'as pas l'air d'avoir de la fièvre.

Amanda repoussa sa main avec un sourire indulgent.

— Je te l'ai dit, ce n'est rien. Juste la chaleur.

Son assiette en carton contenait encore la moitié d'une saucisse et un reste de salade de pommes de terre.

— Tu n'as pas mangé grand-chose.

— Je l'ai déjà grondée, intervint Nikki. Je crois que je l'ai surmenée ces dernières semaines. Elle ne se repose pas assez.

— Tu es sûre que ce ne sont pas les restes de la monstrueuse pizza que tu as dévorée l'autre jour ? plaisanta Sami Jo. Franchement, Amanda, tu devrais faire plus attention à toi. Tu sais qu'il y a un virus qui court en ce moment.

— C'est ce que l'on m'a dit. Je vais bien, Ian, je te remercie. Je suis infirmière, tu sais.

— Je sais, dit-il en lui touchant le nez d'une pichenette. Et tu ferais probablement une malade insupportable.

— Au fait, que mijotez-vous, Gavin et toi ? demanda-t-elle pour changer de sujet de conversation.

— Des choses...

A l'autre bout du jardin, Gavin s'était engagé dans un concours de lancer de fer à cheval avec Delbert, Matthew et Zeb, qui se débrouillait comme un chef depuis son fauteuil roulant.

— Je lui ai appris deux ou trois choses en soudure, reprit Ian. Et nous allons faire du cheval ensemble la semaine prochaine. Il y a un manège qui loue des chevaux pas loin d'ici et ils ont de bons chemins de randonnée. Nikki et toi êtes les bienvenues si vous voulez vous joindre à nous.

— Je te remercie, mais Nikki repart lundi. Quant à moi je dois m'occuper de mon vide-grenier. J'ai dû le reporter à cause de la pluie du week-end dernier.

— Allons, viens donc avec nous. Nous passerons un bon moment et je promets de t'aider ensuite pour ta brocante.

Cette fois, il la vit nettement changer d'expression. Elle se mit à regarder au loin comme si elle cherchait une autre excuse pour se dérober. Il dut refouler son agacement. Pourquoi refusait-elle avec un tel acharnement de donner suite à leur liaison ? Avec le temps, nul doute que le chagrin s'estomperait et qu'elle déciderait d'avoir tout de même des enfants.

Oui, mais si elle ne changeait jamais d'avis ?

Cette petite voix qui le hantait depuis un certain temps déjà le fit douter. Il avait peur, car rien ne disait qu'Amanda changerait un jour d'avis. Il devait se préparer à cette éventualité. Ne lui avait-elle pas affirmé, à plusieurs reprises et avec véhémence, qu'elle n'envisageait pas de bébé ? Peut-être avait-il commis une erreur en tombant amoureux d'elle malgré ces déclarations. Mais comment oublier Amanda, maintenant qu'il était profondément épris d'elle ?

Il préféra s'en tenir à l'instant présent.

— Bon, qu'est-ce que tu décides ? Tu viens ou pas ?

— Je ne sais pas. Il est vrai que je me sens fatiguée. Sans compter que je n'ai pas monté depuis une éternité. Une autre fois, peut-être.

— Très bien.

Il n'insista pas. L'après-midi continua à se dérouler dans la bonne humeur générale, et lorsque les enfants de ses cousins se mirent à réclamer à grands cris le feu d'artifice, il se rappela tristement les paroles de son grand-père.

« Je parie que vous serez mariés tous les deux pour les feux d'artifice du quatre juillet. Qui sait : vous allumerez peut-être votre propre feu d'artifice ! »

Amanda était-elle décidée à ne jamais avoir d'enfant au point de renoncer à lui pour ce seul motif ? Ou y avait-il d'autres raisons ? Peut-être n'éprouvait-elle tout simplement pas pour lui ce qu'il éprouvait pour elle.

Mais le souvenir de leur nuit d'amour balaya bien vite cette hypothèse. Entre Amanda et lui, c'était plutôt comme un immense et irrésistible brasier qui lui avait fait perdre tout contrôle. C'est tout juste s'il avait pensé à se retirer au moment critique. Depuis son histoire avec Jolene, Ian s'était toujours protégé. Mais avec Amanda, son désir avait eu raison de lui. Certes il avait eu envie d'elle dès le premier jour, mais surtout, il était tombé éperdument amoureux.

Si elle n'éprouvait pas la même chose pour lui, la tâche s'annonçait difficile, mais pas impossible. Et il n'était pas prêt à capituler.

Comme John, le mari de Sami Jo, et ses copains musiciens installaient une estrade de fortune pour leur orchestre, Ian retourna vers Amanda, qui n'avait pas bougé depuis tout à l'heure.

— Tu veux bien m'accorder une minute ?

Elle leva les yeux vers lui, l'air légèrement inquiet.

— Bien sûr.

Amanda accepta la main qu'il lui tendait et se leva. Il l'entraîna vers un chemin grimpant jusqu'à une terrasse où il avait songé à installer un potager, un jour. Plus tôt dans la journée, il y avait étendu une couverture, dans l'espoir de passer là un moment en tête à tête avec elle, au son de la musique. Il lui avait aussi fabriqué quelque chose le matin même, qu'il avait caché sous la couverture. Il l'invita à s'asseoir, savourant cet instant tant attendu.

— J'ai beaucoup pensé à toi aujourd'hui, commença-t-il.

— Vraiment ?

— Oui. C'est pour cela que j'ai installé cette couverture ici. Je pensais que cela nous donnerait l'occasion d'être un peu seuls pendant que John et ses Bluegrass Boys distrairaient le reste de l'assemblée.

A sa grande satisfaction, Amanda lui rendit son sourire, quoique avec une certaine réticence.

— Tu ne crois pas que ce tête-à-tête est une mauvaise idée ? D'ailleurs, je n'aurais pas dû abandonner Nikki ainsi.

Les hautes herbes les cachaient à la vue des autres. Banjos et guitares lancèrent leurs mélodies dans la nuit, tandis que John entonnait une chanson.

— Nikki est une grande fille. Tiens, dit Ian en sortant son cadeau de sa cachette.

— C'est pour moi ?

Ebauchant un sourire, elle déchira le papier d'emballage.

— Mais… c'est Skippy !

— Exact. C'est ce petit bouc un peu *kitsch*, dans le jardin de ta grand-mère, qui m'en a donné l'idée, dit-il en réprimant un sourire.

— Ne me dis pas que c'est toi qui l'avais fait pour elle ?

— Si.

— Oh non… Je suis horriblement gênée.

233

— Tu as tort. C'est vrai qu'il est assez kitsch, mais ta grand-mère l'adorait.

Un silence plutôt gêné s'installa entre eux.

Amanda balançait l'écureuil en fer forgé sur ses genoux.

La sentant tendue, Ian décida de mettre les choses au clair.

— Amanda, j'ai cru remarquer que tu m'évitais depuis un certain temps, et je crois savoir pourquoi.

Comme elle allait protester, il l'arrêta d'un geste.

— S'il te plaît, écoute-moi jusqu'au bout. Je veux que tu connaisses mes sentiments pour toi. Mais surtout ne dis rien. Contente-toi de m'écouter. D'accord ?

— D'accord.

Mais elle pinça les lèvres et prit l'air misérable d'un chaton mouillé. Il avait beau s'en vouloir, il fallait qu'il lui parle. Sinon, elle risquait de le repousser définitivement.

— Je t'aime, Amanda. J'étais sincère en te disant que je croyais toujours en nous. N'importe qui verrait que tu fais tout ton possible pour t'éloigner de moi. Cela ne marchera pas. C'est vrai que j'ai pensé faire la même chose de mon côté, mais j'en suis incapable. Et si tu crois pouvoir faire en sorte que nous nous voyions de moins en moins, de sorte que mes sentiments pour toi se transforment en une sorte de vague amitié, tu te trompes.

Comme elle ouvrait la bouche, il leva un doigt impérieux en se retenant de sourire. S'il ne l'avait jamais vue en colère, l'expression de son visage lui laissait deviner combien elle devait être adorable et farouche lorsqu'elle s'emportait.

— Je ne veux pas faire pression sur toi, mais je n'ai pas non plus l'intention de renoncer à toi. Pour moi, il n'y a pas de demi-mesure : c'est tout ou rien. Voilà, j'ai dit ce que j'avais à dire et tu connais mes sentiments. Maintenant, à toi d'en tirer tes propres conclusions.

— Tu as terminé ?

— Oui.

— Il s'agit d'un ultimatum ?

— Pas du tout. Tu n'as rien à perdre, Amanda. Il s'agit juste de savoir si tu m'aimes suffisamment pour venir avec moi. J'attendrai ta décision. Mais il n'est pas question que tu me considères comme un simple ami. Car c'est bien ce que tu avais l'intention de faire, non ?

— Nikki t'a parlé ?

— Non, dit-il avec un rire amer. Mais je suis heureux de constater que j'avais deviné juste.

Elle lui jeta un regard profondément agacé et il eut un instant de panique. Avait-il été trop loin ? De toute façon, il était trop tard pour faire machine arrière.

— Pour moi, cela ressemble tout de même à un ultimatum. Soit je te tombe dans les bras, éperdue d'amour, soit je dois renoncer définitivement à te voir.

— Pas du tout. Tu pourras me voir autant que tu voudras, à la maison de repos. Ou encore ici, chez moi. Mais si tu viens à moi, Amanda, je ne pourrais m'empêcher de penser que c'est en toute honnêteté, exactement comme je te parle en ce moment. Je ne viendrai plus te voir, je ne ferai pression sur toi d'aucune manière.

Il l'aimait trop pour la mettre mal à l'aise. Elle pouvait quitter la partie sans encombre si telle était la solution qu'elle choisissait. Et même si cette éventualité l'affolait, mieux valait encore dire les choses franchement dès à présent.

Mais il se sentait terriblement mal à l'aise en disant tout cela. Amanda avait été franche dès le premier jour avec lui, et il savait qu'il se montrait injuste en lui parlant comme il venait de le faire. Mais c'était plus fort que lui. Il était au bord du désespoir, terriblement amoureux, et préférait encore qu'elle disparaisse de sa vie si elle ne voulait pas partager la sienne avec lui. La poursuivre de ses assiduités comme un pauvre fou ne servait à rien.

— Je suis sensible à ton honnêteté, dit-elle au bout d'un moment. Tu tiens vraiment à ce que je reste pour le feu d'artifice ?

Une note triste pointait dans sa voix. Il n'avait pourtant pas cherché à lui faire de la peine et faillit craquer, la prendre dans ses bras. Une partie de lui le poussait à se jeter à ses pieds, comme un chiot reconnaissant, quêtant la moindre miette d'affection qu'elle pourrait lui offrir. Mais agir ainsi, c'était s'exposer à ne jamais s'en remettre si son amour n'était pas payé de retour. Or, trop de temps s'était déjà écoulé pour lui, trop de solitude, pour qu'il prenne ce risque. Au contact de Gavin, il avait ouvert les yeux sur l'amère réalité : il était grand temps qu'il se marie et ait les enfants qu'il avait toujours désirés.

Il ne pouvait pas se permettre de vivre avec une femme qui n'en voulait pas.

Comment s'en remettrait-il si Amanda choisissait de le quitter ? Il l'ignorait. Mais il trouverait bien un moyen.

— Bien sûr que je tiens à ce que tu restes. Que tu restes pour toujours.

Et parce que c'était plus fort que lui, il saisit entre ses doigts une de ses mèches soyeuses, en se rappelant ses cheveux éparpillés sur l'oreiller quand il lui avait fait l'amour.

Amanda soutint son regard en se mordant la lèvre, comme si elle se retenait de dire quelque chose, le regard brillant. Etait-ce des larmes ou une émotion d'un autre ordre ? De la colère, peut-être ? Pourtant, c'est sans violence qu'elle lui saisit le poignet. Elle le serra un instant avant de retirer prudemment les doigts qu'il avait glissés dans ses cheveux et de se lever.

— Il vaudrait peut-être mieux que nous allions écouter la musique avec les autres.

Emportant avec elle l'écureuil qu'il lui avait offert, elle redescendit vers le jardin sans se retourner.

Ian se sentit soudain dans la peau du personnage dont parlait la chanson que chantait justement son cousin John. C'était un vieux tube intitulé *Man Of Constant Sorrow*, remis au goût du jour par George Clooney dans le film *O'Brother*.

Sans Amanda, nul doute que sa peine n'aurait jamais de fin.

En rentrant au chalet, Amanda songea que tout cela s'arrangeait plutôt bien. Ian lui avait ménagé une sortie bien plus facile que tout ce qu'elle aurait pu espérer. Il était maintenant libre d'aller trouver le bonheur auprès d'une autre, et c'était tout le mal qu'elle lui souhaitait.

Oui, mais si elle portait un enfant de lui ?

— Je te trouve bien silencieuse, observa Nikki dans la voiture. Tu as toujours mal au cœur ?

— Un peu, mentit Amanda.

En fait de mal, c'était plutôt une peine de cœur. Comment avait-elle pu en arriver là ?

— Tu as envie d'en parler ? reprit Nikki en la dévisageant d'un air entendu.

— Il n'y a rien à dire, soupira Amanda.

— J'ai remarqué que tu t'étais éclipsée avec Ian. Mais vous n'êtes pas restés absents bien longtemps. Et pourquoi ne t'es-tu pas assise près de lui pour regarder le feu d'artifice ?

Comment lui dire que d'autres feux s'étaient allumés dans son cœur et dans son âme ? Quoi de plus romantique que d'admirer un feu d'artifice en compagnie de celui que l'on aime ? Mais tous ses rêves s'étaient évanouis, puisque Ian et elle n'avaient pas d'avenir ensemble. Elle n'avait pas le droit de l'aimer à cause de ses résolutions, à cause de cet accident qui l'avait mise en deuil pour le restant de sa vie.

— J'ai bien le droit de préférer regarder le feu d'artifice en compagnie de ma sœur et d'une amie.

— Evidemment. Sauf que n'importe quelle femme sensée préférerait le faire en compagnie d'un homme auprès duquel les acteurs qui jouent les mauvais garçons feraient vraiment pâle figure.

— Ian n'est pas un mauvais garçon.

— Ça, c'est le moins que l'on puisse dire !

Nikki fit une moue qui rappelait Granny. Cette dernière prenait cette expression chaque fois qu'elle voulait sermonner ses petites-filles.

— C'est un garçon adorable, gentil et attentionné, poursuivit Nikki en désignant l'écureuil qu'il avait fabriqué. Je me demande vraiment ce qui te prend, Amanda. Etant donné que tu n'es pas une idiote, je ne trouve qu'une seule explication à ta conduite : c'est une sorte de punition que tu t'infliges à toi-même.

— Nikki, je t'en prie, ne recommence pas avec ça ! Tu ne sais pas tout ce qui s'est passé entre lui et moi.

— En effet. Et je reconnais que cela ne me regarde pas. Mais je t'aime et je veux te voir heureuse. C'est déjà tellement dur pour moi de te savoir à deux mille cinq cents kilomètres. Je me sentirais mieux si je savais que tu as enfin trouvé quelqu'un.

— Si je comprends bien, tu estimes que je ne peux pas être heureuse sans un homme, c'est bien ça ?

238

Amanda avait beau savoir qu'elle n'était pas raisonnable, ses sentiments pour Ian l'effrayaient suffisamment pour la pousser à se défendre d'une vérité qu'elle refusait.

— Ce n'est pas ce que je voulais dire et tu le sais parfaitement. N'importe qui comprendrait que tu es dingue de ce garçon. Pourquoi ne veux-tu pas le lui avouer ? Et te l'avouer à toi-même ?

Amanda sentit sa gorge se serrer. Pour l'aimer, elle l'aimait. Au point d'avoir couché avec lui. Au point de se mettre dans une situation à laquelle elle n'était pas préparée et dont elle ne pouvait pas parler devant Nikki. Du moins, tant qu'elle n'en serait pas certaine.

— Je ne peux pas, c'est tout. Et maintenant, j'aimerais que nous en restions là.

Sûre d'avoir vexé sa sœur, Amanda eut honte d'elle-même. Pour rien au monde elle n'aurait voulu faire souffrir Nikki. Celle-ci devait se demander ce qui se passait, alors qu'elles avaient toujours partagé leurs pensées les plus intimes jusqu'à présent.

— Nikki ?

— Quoi ?

— Lorsque je me sentirai prête à t'en parler, tu seras la première à qui je me confierai, tu le sais bien.

Du coin de l'œil, Amanda vit sa sœur ébaucher un sourire.

— Tu as intérêt ! Si j'apprends quoi que ce soit par Sami Jo, je reviens dare-dare te botter les fesses !

Toutes deux éclatèrent de rire et Amanda se sentit légèrement soulagée.

Ce soir-là, elles veillèrent tard, mangeant du pop-corn et parlant du bon vieux temps tout en évitant d'évoquer l'avenir. Nikki ne sembla pas plus encline à confier en détail ses problèmes avec Cody qu'Amanda à parler de sa relation avec Ian.

Curieusement, chacune cherchait à protéger l'autre. Nikki semblait songer que sa sœur se sentirait responsable de sa « presque rupture » avec Cody. Amanda craignait que Nikki ne se sente perdue et inutile si elle apprenait que sa sœur était peut-être enceinte. D'une façon ou d'une autre, elle avait bien l'intention d'en avoir le cœur net, dès que Nikki serait repartie. Consciente de la vitesse à laquelle les rumeurs se répandaient dans une petite bourgade, elle avait profité d'une de ses pauses déjeuner au cours de la semaine pour aller acheter un test de grossesse dans le Kentucky. Elle priait pour que ses craintes s'avèrent infondées et ses symptômes provoqués par d'autres causes. Et si c'était la grippe, après tout ? Si le stress avait suffi à dérégler son cycle ?

Amanda en était réduite à se cramponner à ces minces espoirs.

Elle se sentait incapable d'assumer la responsabilité d'une autre vie, et ignorait comment s'en sortir si le test s'avérait positif.

— Et sois prudente sur la route, compris ?

Amanda, encore en robe de chambre, déposa la valise de Nikki dans le coffre de la voiture. Elle s'était levée plus tôt pour voir sa sœur avant son départ et avait préféré ne pas s'habiller pour passer le plus de temps possible avec elle. Ainsi, elle avait pu lui préparer un copieux petit déjeuner. N'ayant elle-même pu avaler que quelques bouchées de fruit et de toast, elle attribuait son manque d'appétit à la tristesse de voir partir sa sœur.

— Et n'oublie pas de m'appeler lorsque tu seras à Nashville.

Nikki, en effet, avait choisi d'emprunter la route passant par la capitale de la *country music*, dont elle avait l'intention de visiter les sites touristiques avant de rentrer chez elle.

— Seigneur ! J'ai l'impression d'entendre Cody !

Puis, cessant de plaisanter, elle prit sa sœur dans ses bras d'un air triste.

Amanda la serra contre elle, prolongeant ce moment.

— Tu vas tellement me manquer.

— Dis donc, tu connais le chemin si jamais le vent te chasse d'ici. Et s'il te plaît, accorde une chance à Ian.

— Fais-en autant avec Cody, répliqua-t-elle pour s'éviter de répondre directement.

Nikki, qui n'était pas dupe, lui lança un regard éloquent.

— J'aime vraiment Cody. Tout ce que je souhaite, c'est que notre mariage soit suffisamment solide pour nous permettre de surmonter ce moment difficile.

Si tel n'était pas le cas, Amanda s'en voudrait éternellement. Même si les rapports entre Cody et Nikki s'étaient déjà détériorés avant sa grossesse, la perte de leur précieux bébé avait été le coup de grâce.

— Je suis sûre que vous allez y arriver. Au revoir, ma grande.

— A bientôt.

Amanda, les larmes aux yeux, regarda s'éloigner sa sœur. Elle lui manquait déjà.

Puis elle inspira à fond. A quoi bon repousser le moment de vérité ? Elle se rendit dans la salle de bains et ouvrit la boîte du test de grossesse, dont elle lut les instructions, même si elle savait exactement comment procéder... Elle ne cherchait qu'à gagner du temps, se raccrochant aux dernières minutes d'espoir.

Quelques instants plus tard, son cœur se mit à battre violemment dans sa poitrine. C'était une simple ligne bleue qui disait tout : elle était enceinte.

— Non ! Par pitié, non ! murmura-t-elle.

Elle jeta en sanglotant le test, le poussant jusqu'au fond de la poubelle, comme pour étouffer la vérité. Puis elle se glissa sous la douche.

Un bébé ! Dans son ventre qui avait autrefois abrité la douce petite Anna, un autre petit innocent vivait. Une vie précieuse sur laquelle elle allait devoir veiller, qu'elle allait devoir nourrir, faire grandir. Un être humain à part entière, avec un cœur, des pensées et un grand besoin d'amour, de conseils et de protection.

Elle savait qu'elle pouvait encore avoir des enfants malgré l'accident. Elle avait eu de la chance. D'autres femmes étaient moins chanceuses. Comme Nikki, par exemple, incapable de mener une grossesse à terme. Amanda se rendait bien compte que l'enfant qu'elle portait était une bénédiction. Elle allait pouvoir bercer, serrer dans ses bras, et chérir un enfant. Mais à quel prix ? Comment allait réagir Nikki en apprenant la nouvelle ? Comment espérer qu'elle ne songerait pas à Anna chaque fois qu'elle regarderait cet enfant ? Qu'elle ne songerait pas à ce que Cody et elle avaient perdu, et à ce qu'Amanda avait reçu, sans même l'avoir cherché, prévu ou espéré ?

Amanda ne pouvait plus s'arrêter de pleurer. L'eau de la douche se mêlait à ses larmes, coulant sur sa peau, ses cheveux, sans emporter cependant cette douleur qui la déchirait.

Les souvenirs atroces l'assaillirent. Par une froide journée d'hiver, l'enterrement d'Anna dans le minuscule cimetière situé en haut de la montagne. Après la cérémonie, Amanda s'était promenée parmi les tombes, en essayant de comprendre comment une chose aussi injuste pouvait se produire. Quel déchirement de voir toutes ces petites stèles dans le cimetière d'enfants. Tous ces petits êtres ensevelis sous la terre gelée.

Et ces objets que les gens déposaient sur la tombe de leur enfant...

Moulins à vent multicolores tournant au vent glacé. Cartes d'anniversaire que jamais personne ne lirait. Ours en peluche décolorés par le temps, trempés, tout tristes sous les flocons de neige, voués à attendre éternellement la main d'un enfant à tout jamais absent.

Et si quelque chose arrivait aussi à ce petit être qu'elle portait à présent ?

Serrant les poings, Amanda offrit son visage au jet de la douche. C'était comme si son cœur se déchirait. Le bruit de l'eau se mêlait à ses pleurs. Elle aurait voulu chasser sa douleur, sa confusion, pour toujours. Se noyer.

Malheureusement, la douleur redoublait.

Elle se laissa tomber, recroquevillée, au fond de la douche. Des émotions qu'elle avait refoulées jusqu'à présent, pour ne pas inquiéter Nikki encore plus, s'échappaient d'elle comme le sable par les fissures d'un récipient. Jusqu'à présent, elle avait toujours étouffé ses larmes dans son oreiller, même lorsqu'elle était seule. Elle craignait toujours qu'en se laissant aller à pleurer vraiment, elle ne puisse plus offrir son soutien à sa sœur. Nikki n'aurait plus personne vers qui se tourner, plus personne pour s'occuper d'elle.

Elle avait pleuré pourtant, un soir, près de la rivière, où Ian l'avait surprise. Heureusement, son arrivée l'avait obligée à se reprendre, à ne pas se laisser submerger par la douleur. Mais maintenant, les yeux fermés sous l'eau ruisselante, elle s'autorisait à pleurer sans retenue, soulagée de pouvoir enfin se laisser aller et pleurer tout son saoul.

Puis elle passa ses bras autour de son ventre, pour bercer son enfant, cet enfant qu'elle avait déjà envie de protéger, d'aimer. Avec la crainte terrible que le médecin ne se soit trompé : et si elle devait perdre cet enfant aussi ?

Mais plus terrible encore était la peur que ce bébé ne soit une cause de souffrance pour sa sœur. Ce bébé qui aurait dû être celui de Nikki et non le sien.

17.

Ian conduisait en sifflotant. Il se rendait chez Amanda. Certes, il lui avait promis de ne pas chercher à la voir, et de la laisser décider de la suite à donner à leur relation, mais ce matin, en pliant la couverture qu'il avait étendue la veille sur l'herbe, il avait trouvé le permis de conduire de la jeune femme, ainsi que quelques billets. Ils avaient dû tomber de la poche de son short.

Evidemment, il aurait pu lui apporter le tout à la maison de repos. Mais elle aurait été obligée de s'y rendre sans son permis de conduire. Ce n'était pas bien grave, étant donné le peu de circulation à Boone's Crossing et le peu de distance qu'elle avait à parcourir pour se rendre sur son lieu de travail. Mais peut-être s'inquiétait-elle en se demandant où elle avait pu perdre ses papiers ?

Quoi qu'il en soit, c'était un excellent prétexte pour la voir sans trahir la promesse qu'il lui avait faite.

Il se gara près de la voiture d'Amanda, heureux de constater qu'elle n'était pas encore partie. Peut-être réussirait-il à l'inviter pour un petit déjeuner en ville avant d'aller travailler. Doucement, lui dictait la voix de la raison. N'avait-il pas promis de ne pas la presser ? Oui, mais c'était tellement difficile pour lui qui était sûr de ses sentiments.

Sous le porche, il salua Skippy qui reniflait, intrigué, son sosie de métal posé près de la porte. L'écureuil s'enfuit à son approche. Bien que la porte soit ouverte, Ian frappa. Nikki était apparemment repartie, puisque sa voiture n'était plus là. Donc Amanda devait être déjà levée. Il frappa de nouveau sans obtenir davantage de réponse que la première fois.

Quelque peu inquiet, il poussa la moustiquaire et se pencha à l'intérieur.

— Amanda ?

Il pénétra, gêné, dans la cuisine. Mais n'avait-il pas partagé son lit et ses sentiments les plus intimes avec elle ? Pour quelle raison hésiter à entrer chez elle ? Dans le couloir, il l'appela une nouvelle fois. La douche coulait dans la salle de bains. Ian secoua la tête et sourit. Il se reconnaissait bien là, avec son naturel bileux, à s'imaginer qu'il était arrivé quelque chose de grave à Amanda, alors qu'elle était tout simplement en train de prendre une douche.

Soudain, son imagination l'entraîna vers des images osées que leur mise au point de la veille aurait pourtant dû lui interdire. Il voyait le beau corps nu de la jeune femme, ruisselant d'eau, ses longs cheveux odorants et trempés, sa peau brûlante d'où montait la fragrance d'un savon qui ne manquait jamais de l'exciter chaque fois qu'il s'approchait d'elle.

Son corps réagit aussitôt à ses images. Il tourna les talons, prêt à partir.

Au même instant, une plainte sourde monta de la salle de bains. Comme le cri d'un animal souffrant.

— Amanda !

Ian se précipita. Comme elle ne répondait pas, il ouvrit le rideau de douche. Elle était là, recroquevillée en position fœtale. L'eau dégoulinait sur elle, offrant non pas le tableau sensuel qu'il s'était dépeint quelques instants plus tôt, mais l'image d'une noyée.

— Que se passe-t-il ? Tu es blessée ?

Elle était sûrement malade. Déjà, la veille, elle paraissait souffrante. Son état devait être plus sérieux qu'il ne l'avait cru. Une crise d'appendicite, peut-être ? Paniqué, il ferma les robinets et saisit une immense serviette dont il enveloppa Amanda. Puis il la força à se lever et la souleva dans ses bras comme un objet fragile qui risquait de se casser à la moindre maladresse. Il la déposa sur une chaise, près du lavabo.

— Tu veux que j'appelle un médecin ?

Sans même le regarder, elle secoua la tête, qu'elle maintenait baissée, les yeux fermés. Lorsqu'elle ouvrit enfin les yeux, sa vivacité habituelle avait fait place à un regard vide et hanté.

Ian prit peur. Il l'avait déjà vue réservée, silencieuse et professionnelle, triste même parfois. Mais cette fois, c'était différent.

— Amanda, j'appelle les secours.

— Non !

Elle l'agrippa par la manche et son regard reprit un peu de vie.

— Qu'est-ce que tu fais là ?

Elle essuya son visage d'un coin de serviette. Puis ses larmes cessèrent et elle fut prise d'un tremblement.

— Peu importe. Dis-moi ce qu'il t'arrive.

Après quelques instants d'hésitation, elle se lança :

— Je suis enceinte.

D'abord, Ian la dévisagea sans comprendre. Puis une joie immense éclata en lui, aussitôt gâchée par le fait de voir Amanda si clairement malheureuse de cette nouvelle.

— Pardon ?

Il avait peut-être mal compris.

Toujours agrippée à sa manche Amanda leva vers lui ses yeux verts pleins de terreur.

— Je vais avoir un enfant.

Dans l'esprit de Ian, toutes les pièces du puzzle se mirent en place. La pâleur de la jeune femme, sa décision de s'éloigner de lui, sa peur d'être de nouveau enceinte aussi, après le drame qu'elle avait vécu. Soudain l'angoisse l'envahit : elle ne songeait tout de même pas à…

— Pourquoi pleurais-tu ?

Il fallait qu'il en ait le cœur net. Si elle avait ne serait-ce qu'envisagé de ne pas avoir ce bébé…

— Amanda, je sais que cela n'était pas prévu et je t'assure que j'ai fait attention. Du moins c'est ce qu'il m'a semblé. Cesse de pleurer, je t'en prie. Grâce à toi je suis l'homme le plus heureux du monde ! Un bébé !

Il aurait voulu donner libre cours à sa joie. Il allait être père ! Enfin, il allait vivre ce qu'il attendait depuis si longtemps, avoir l'occasion de faire les choses bien, de vivre auprès de son enfant depuis le premier jour.

Mais le visage d'Amanda lui gâchait tout son plaisir.

— Ian, je ne revivrai pas cela.

Et les yeux pleins de larmes, elle se laissa retomber contre le dossier de la chaise.

— Tu ne veux tout de même pas dire que tu vas…

Avorter. Prononcer ce mot était au-dessus de ses forces.

— Non ! Bien sûr que non, Ian. Jamais je ne pourrais… Comment peux-tu penser une chose pareille ?

— Mais… parce que tu as dit… Tu ne voulais pas dire que…

— Non !

— Dans ce cas, que cherchais-tu à me dire ?

Il attendit la réponse sans toutefois vouloir la connaître. S'il n'était pas question pour elle d'avoir ce bébé, peut-être était-ce pour des raisons médicales ? Il n'avait jamais envisagé que l'accident ait pu laisser ce genre de séquelles.

— Ce que je cherche à te dire, je ne le sais pas moi-même. Oh, Ian, je ne sais plus où j'en suis.

Elle frissonna, l'air complètement anéantie, épuisée.

— Allons, viens. Nous allons parler tous les deux. Mais il faut d'abord que tu t'habilles si tu ne veux pas prendre froid.

Amanda s'enroula machinalement dans le peignoir rose qu'il lui tendait. Puis il l'emmena jusque dans sa chambre, où elle s'assit sur son lit. Assis près d'elle, il attendit.

— Tu ne peux pas imaginer comme je me suis sentie flattée lorsque Nikki a accepté que je porte son enfant. J'étais tellement heureuse de les aider, Cody et elle, de leur permettre de réaliser leur rêve d'avoir un enfant. C'était pour moi la chose la plus importante du monde.

Elle poursuivit, le regard perdu au loin.

— Si Anna était biologiquement parlant leur enfant, elle faisait aussi partie de moi, parce qu'elle grandissait dans mon ventre. C'était ma nièce, et je savais que le fait de la mettre au monde allait créer un lien particulier entre elle et moi. Un lien plus fort qu'avec une tante ordinaire. Je m'imaginais avoir un jour un enfant à moi, qui jouerait avec Anna. Et puis soudain, plus rien. Terminé. Comme ça.

Amanda secoua la tête et Ian eut encore plus peur en constatant qu'elle ne pleurait plus.

— Je sais combien tu souffres. Je suis désolé que tu aies dû subir une telle épreuve.

— L'épreuve dure encore. C'est comme un poids sur la poitrine, qui m'empêche de respirer. L'impression d'être creuse et vide, comme si j'étais morte aussi. Me lever chaque matin et vivre normalement me demande un effort surhumain.

— Et par-dessus le marché, tu as dû affronter Nikki et Cody et leur propre peine.

— Oui. La plus grande souffrance, ce fut d'être témoin de leur chagrin. C'est à ce moment-là que je me suis promis que jamais plus je ne revivrai cela. Jamais plus je ne porterai un enfant. Jamais plus je n'aurai à redouter qu'il lui arrive quelque chose. Et voilà que je me retrouve enceinte !

— Mais tu n'es pas seule cette fois. Lorsque tu as perdu le bébé de Nikki, tu n'avais personne à tes côtés. Tu t'es tellement inquiétée pour elle et son mari que tu ne t'es même pas souciée de toi. J'imagine qu'ils étaient effondrés. Et toi, qui t'a soutenue ?

Amanda le dévisagea comme si elle faisait une découverte.

— C'est vrai, tu as raison. Je n'avais jamais vu les choses sous cet angle.

— C'est parce que tu es trop généreuse. Amanda, tu ne seras plus jamais seule. Je serai là pour toi, à chaque instant.

Une irrésistible envie de sourire s'empara soudain de lui.

— Un enfant ! Nous allons avoir un enfant ! Nous nous marierons. Gavin sera mon témoin, Sami Jo pourra être ta demoiselle d'honneur. A moins que Nikki ne vienne exprès. Je suis sûre qu'elle sera heureuse pour nous, tu dois me croire. Attends un peu que pépé apprenne la nouvelle. Je peux te dire qu'il va…

— Ian !

Amanda le dévisageait comme s'il était devenu fou. L'air sombre, elle le repoussa pour se lever.

— Pourrais-tu te taire une minute ? Je n'ai pas encore eu le temps d'analyser le fait que je sois enceinte, et toi tu en es déjà au mariage et aux demoiselles d'honneur !

Soudain, ses yeux tombèrent sur le réveil.

— Mon Dieu ! Tu as vu l'heure ? Il faut que j'aille travailler !

Comme elle allait ouvrir son placard, il l'arrêta doucement.

— Du calme. Tu n'es pas en état d'aller travailler. Tu devrais appeler pour prévenir que tu es malade. Si tu veux, je le fais à ta place. Où est le téléphone ?

— Je ne peux pas faire cela, dit-elle en se dégageant. Mes patients ont besoin de moi. D'ailleurs, l'occupation me fera le plus grand bien. Je ne sais plus que penser pour le moment. Tout va trop vite.

Comme en proie à une énorme migraine, elle porta les mains à ses tempes. Puis elle sortit de sa penderie un uniforme d'infirmière qu'elle jeta sur le lit.

— Je veux que tu réfléchisses à ce que je t'ai dit, insista Ian. Promets-le-moi.

— Je t'en prie. Je sais que tu n'as que de bonnes intentions, mais je me sens un peu dépassée pour le moment. Si nous en reparlions plus tard ?

Mais son intonation disait clairement qu'elle avait déjà pris sa décision. Qu'allait-il devenir si elle décidait d'élever cet enfant sans lui ? Que projetait-elle de faire ? *L'offrir* à sa sœur ?

Songeant que c'était là une idée ridicule et refusant de céder à la panique, il déposa un baiser sur son front.

— Très bien. Tiens, voici ton permis et un peu d'argent que tu as perdus chez moi, hier. Je passerai te voir tout à l'heure après le travail.

Certes, il précipitait les choses, contrairement à ce qu'il lui avait promis la veille, mais il préférait qu'elle n'ait pas trop le loisir de réfléchir toute seule.

Amanda eut beau essayer de reprendre ses esprits après le départ de Ian, sa tête tournait lorsqu'elle prit le volant. Le mariage ! Comment avait-il pu lui proposer une chose pareille ? Une telle idée n'avait pu lui venir que sous le choc. Lorsqu'il aurait retrouvé son calme et pris le temps d'analyser la situation, il se rendrait à l'évidence : il ne pouvait pas être question de mariage entre eux.

Et pourquoi pas ? lui suggéra une petite voix intérieure.

Mais cela ne marcherait jamais ! Refusant de reconnaître ses propres craintes, elle se persuada que Ian s'imaginait amoureux d'elle parce qu'elle l'avait aidé à retrouver son fils et parce qu'elle était enceinte de lui. Elle refusait de voir combien elle s'était attachée à lui et combien elle savait, au fond, qu'il l'aimait. Elle refusait de voir que si elle avait été honnête avec elle-même, elle aurait reconnu qu'elle l'aimait aussi. Mais pour le moment, il fallait s'occuper de la façon dont elle allait annoncer la nouvelle à Nikki. Même si cette dernière l'avait encouragée à refaire sa vie, à avoir des enfants et à être heureuse, elle avait le pressentiment qu'à l'annonce de cette grossesse Nikki allait avoir du mal à encaisser le choc.

Dès son arrivée à la maison de repos, elle se mit au travail. Son estomac refusant le petit pain qu'elle avait avalé sur le pouce, elle dut encore une fois se précipiter aux toilettes. Croisant Zeb qui se rendait à sa séance de rééducation, elle le salua à la hâte, ainsi que l'aide-soignant qui le poussait dans son fauteuil roulant. Quelques instants plus tard, elle regagnait son bureau en se disant qu'elle devait cesser de penser à Ian chaque fois qu'elle voyait son grand-père.

Comment oserait-elle regarder Zeb en face lorsque Ian lui aurait annoncé la nouvelle ? Que dirait Zeb en apprenant qu'ils avaient conçu un enfant hors mariage, lui qui était si vieux jeu ?

Faisant de son mieux pour ne pas songer à des choses négatives et priant pour que Ian ne vienne pas rendre visite à son grand-père aujourd'hui, elle se concentra sur son travail.

Peu de temps après, Nikki appela pour lui annoncer qu'elle était arrivée à Nashville. En raccrochant, Amanda s'en voulut de ne pas avoir eu le courage de lui annoncer la nouvelle lorsqu'elle était encore là. Mais il est vrai que la veille, elle espérait encore que le test serait négatif et ses symptômes psychosomatiques.

A présent qu'elle était sûre de sa grossesse, elle regrettait le départ de Nikki.

Elle chercha les coordonnées d'un gynécologue. Même si les tests de grossesse vendus en pharmacie étaient fiables, elle avait besoin d'être sûre à cent pour cent. Pourquoi avait-il fallu que Ian passe chez elle ce matin ? Elle n'avait pas prévu de lui annoncer la nouvelle de cette façon. En outre, elle était gênée qu'il l'ait découverte dans cet état, nue et en larmes sous la douche.

Après avoir pris rendez-vous chez le gynécologue pour la semaine suivante, elle se remit au travail.

Après le déjeuner, lorsqu'elle aperçut Zeb dans la salle commune, elle fit de son mieux pour paraître naturelle.

Comment s'est passée votre séance de rééducation ce matin ?

— Très bien, il me semble. Dans un rien de temps, je pourrai à nouveau courir le jupon dans les couloirs de cet établissement !

— Dans ce cas, j'ai intérêt à prévenir mes collègues !

— Surtout pas ! Vous me gâcheriez tout le plaisir.

Puis, se penchant vers elle et baissant la voix :

— Dites, vous en avez parlé à mon garçon ?

— Parlé de quoi ?

— Du bébé.

Amanda le regarda, interdite.

— Fermez la bouche, mon petit, ou vous allez finir par gober une mouche. Je suis peut-être vieux, mais je ne suis pas idiot. J'ai vu suffisamment de nausées matinales pour en reconnaître les symptômes. Opal a eu les mêmes pour chacun de nos petits. Et ce n'est pas la première fois que je vous vois toute pâlotte.

— Je lui en ai parlé ce matin, soupira Amanda.

— Alors, à quand le mariage ?

— Chut !

Elle lui fit signe de se taire. Mais les seules personnes présentes à proximité n'avaient plus l'ouïe de leurs vingt ans. Comment expliquer à cet adorable vieillard qu'il n'y aurait jamais de mariage ? Que cette grossesse n'était pas une bonne nouvelle ? Soudain, Amanda se rendit compte que l'enfant qu'elle portait la liait non seulement à Ian mais à Zeb. Ce dernier en était l'arrière-grand-père, tout comme il était l'arrière-grand-père de Gavin. Or, même si elle aurait été heureuse d'avoir Zeb pour parent, l'idée que Ian l'épouse uniquement parce qu'elle était enceinte la rendit à nouveau nerveuse.

— Nous en parlerons plus tard. En attendant, saurez-vous garder le secret ?

— A qui voulez-vous que je parle, ici ? dit Zeb, toute innocence. Ne vous en faites pas, mon petit. Ian se conduira en gentleman avec vous. Sinon, gare à ses fesses !

Amanda regagna son bureau. Comment en était-elle arrivée là ? Elle songea de nouveau à Nikki. Il fallait absolument qu'elle lui parle. Aussi l'appela-t-elle sur son mobile.

— Déjà ? J'espérais que tu tiendrais au moins cinq minutes avant de me rappeler.

— Très drôle. Où es-tu ?

— Je me balade dans une avenue appelée Music Row. J'avais oublié quel endroit incroyable était cette ville. Pas étonnant que m'man ait rêvé de devenir une star de la country. Tu aurais dû venir avec moi.

— Ce n'est pas une mauvaise idée, tu sais, dit Amanda, saisissant la balle au bond. Si je venais te rejoindre après le travail ?

— Avoue-le : je te manque déjà.

— C'est le moins que l'on puisse dire.

— De toute façon, j'étais en train de me dire que je n'allais pas rentrer aujourd'hui. Je vais prendre une chambre à l'hôtel, pour avoir le temps de visiter la ville. Dès que j'en aurai trouvé une, je t'appelle pour te donner l'adresse.

— Entendu.

Amanda raccrocha, à la fois soulagée et nerveuse. Le mariage de Nikki l'inquiétait. Elle connaissait suffisamment sa sœur pour voir que cette excursion à Nashville et cette décision d'y passer la nuit sur un coup de tête n'étaient qu'une façon de retarder le moment où elle rejoindrait Cody.

Et voilà qu'elle s'apprêtait à lui annoncer une nouvelle qui risquait de dégrader encore plus la situation. Elle quitta son bureau en soupirant, pleine d'appréhension, mais aussi désireuse d'en finir.

Avant de terminer son service, Amanda s'arrangea avec son chef pour être en congé le jour suivant. Nashville était à trois bonnes heures de route de Boone's Crossing et elle ne voulait pas voir sa sœur en coup de vent. Elle avait prévu de travailler le mercredi pour rattraper cette journée et de se rendre chez le gynécologue pendant sa pause déjeuner du jeudi. Au moment de quitter la maison de retraite, elle aperçut, dans la salle commune, Zeb assis à sa place habituelle, disputant une partie d'échecs contre Lily.

Pour la première fois de la journée, elle eut envie de sourire.

— Zeb, est-ce que je rêve, ou est-ce que vous avez enfin trouvé une adversaire pour jouer aux échecs ?

Le vieil homme lui répondit d'un sourire en coin, non édenté pour une fois.

— J'admets que Lily est une adversaire digne de ce nom.

Et discrètement, il adressa un clin d'œil à Amanda.

— Tu ne crois pas si bien dire, rétorqua Lily d'une voix rocailleuse. Echec et mat !

— Trahison ! s'écria Zeb en levant les mains en signe de reddition.

— Zeb, vous avez enfin trouvé l'adversaire à votre taille, dit Amanda en riant. Lily, je suis heureuse que vous alliez mieux. Amusez-vous bien tous les deux. A demain.

Une fois chez elle, Amanda se changea et se rappela brusquement que Ian devait passer la voir après son travail. Elle ne voulait pas qu'il pense qu'elle cherchait à l'éviter, mais elle ne pourrait prendre aucune décision vis-à-vis de lui tant qu'elle n'aurait pas parlé à Nikki. Toujours est-il qu'elle ne pouvait pas non plus lui poser un lapin.

D'un geste décidé, elle décrocha le téléphone pour l'appeler à l'atelier.

Après avoir consulté l'heure, Ian posa en soupirant son masque sur le poste de soudure. D'habitude, il travaillait pendant les heures ouvrables. Souvent même, il restait bien plus tard à l'atelier, fier de satisfaire sa clientèle par sa disponibilité et la qualité de ses services. Mais aujourd'hui, il ne tenait pas en place et pensait sans cesse à Amanda et à l'enfant.

Leur enfant. S'il s'était écouté, il l'aurait crié sur tous les toits et épousé Amanda sur-le-champ. Il ne parvenait pas à croire que son rêve d'avoir un enfant avec la femme de sa vie soit devenu réalité.

Cependant, la réaction d'Amanda menaçait d'anéantir ce rêve. Il comprenait sa souffrance et ne demandait qu'à l'aider à tourner la page.

Bien qu'il aime Gavin de tout son cœur, il n'avait pas éprouvé de véritable amour pour Jolene. Leur brève liaison n'avait été qu'une erreur de jeunesse. Malheureusement, elle s'était soldée par la naissance d'un enfant qui n'avait rien demandé à personne. Depuis qu'il savait que Gavin avait eu une enfance heureuse, Ian se sentait moins coupable. Mais combien de fois, avant de retrouver son fils, n'avait-il pas cherché à se punir d'avoir été aussi irresponsable ?

De même, Amanda cherchait à se punir de la perte du bébé de sa sœur et il le comprenait fort bien. Mais comment l'aider à surmonter cela ? Pouvait-il honnêtement lui affirmer que tout allait bien maintenant pour lui ?

Depuis qu'il avait retrouvé Gavin, il avait l'impression d'avoir dompté les démons qui l'avaient tourmenté seize années durant. Mais n'était-ce pas qu'une impression ?

Etait-il vraiment heureux qu'Amanda soit enceinte de lui, ou ne voyait-il, dans ce bébé, qu'un remplaçant pour celui qu'il avait abandonné ?

La sonnerie du téléphone l'arracha à ses sombres pensées. Dès qu'il reconnut la voix d'Amanda, sa morosité s'envola.

— Salut, Ian.

— Amanda ? Je pensais justement à toi. Tu vas mieux ?

— Ça va. Enfin, pas si bien que ça. Ecoute, je sais que nous devons avoir une discussion sérieuse, toi et moi, mais il y une chose que je dois absolument faire avant. Je n'y verrai pas clair tant que je n'aurai pas parlé à Nikki. Je dois lui parler de ce bébé, et cela, je ne peux pas le faire par téléphone.

Ian fut pris de peur. Avait-elle l'intention de retourner au Colorado ?

— D'accord, s'efforça-t-il de répondre d'une voix calme. Alors, que comptes-tu faire ?

— Je pars la rejoindre à Nashville. Je ne sais pas combien de temps cela va me prendre. Pour l'instant, je ne sais plus où j'en suis, ni où cela va me mener. J'ai peut-être commis une erreur en quittant le Colorado si tôt après… après la disparition d'Anna. Parfois, j'ai tellement le mal du pays que je craque complètement. Je… je ne sais plus que penser.

— Amanda ! surtout, pas de décision irrévocable. Je… nous avons droit à une chance.

— Je sais, souffla-t-elle d'une voix à peine audible. Je te rappellerai à mon retour.

— Bien. Promets-moi seulement de prendre bien soin de toi et d'être prudente.

A son tour, il pensait à l'accident. Le fait qu'elle ait eu le courage de reprendre le volant après ce drame en disait

258

long sur sa force de caractère et sa détermination. Il ne lui restait plus qu'à espérer que son courage ne l'abandonne pas maintenant.

— Je te le promets. A bientôt.

Ian raccrocha, passablement rassuré de savoir qu'elle ne retournait pas dans le Colorado. Du moins pas pour l'instant. Mais si elle changeait d'avis ? Si elle décidait que la seule façon de se racheter auprès de Nikki était d'aller élever son enfant — leur enfant — là-bas, avec sa sœur ?

D'une manière ou d'une autre, il allait devoir convaincre Amanda que sa place était ici, auprès de lui, dans le Tennessee. L'idée de perdre cet enfant lui était insupportable.

Il en avait déjà perdu un. Pour rien au monde il n'accepterait d'en perdre un second.

18.

Le mardi matin, Amanda quitta Nashville pour retourner à Boone's Crossing. Galvanisée par les émotions, elle songeait à mille choses en même temps. Cette fois-ci les adieux à Nikki avaient été moins pénibles. Probablement parce qu'elle avait le sentiment d'avoir enfin fait la paix avec sa sœur, et aussi avec elle-même.

Tout en conduisant, elle se remémora leur conversation de la veille au soir. Elles étaient allées faire quelques pas dans l'atrium de l'hôtel, orné d'un petit bassin entouré de rochers et de plantes vertes. Un couple de cygnes noirs au plumage élégant y glissait au milieu des nénuphars. Les deux sœurs n'étaient pas seules et Amanda aurait préféré un endroit plus intime pour parler. Elle allait lui proposer de regagner leur chambre, lorsque Nikki s'était mise à rire doucement en fixant quelque chose.

En suivant le regard de sa sœur, elle avait vu une fillette qui devait avoir environ deux ans. L'enfant, qui avait de bonnes joues, des boucles blond vénitien et d'immenses yeux bleus, tirait la main de sa mère pour s'approcher du bassin. Elle montrait les cygnes du doigt, tout excitée.

— Maman, can'can' !

Son sourire révélait une rangée de petites dents blanches et parfaites. Son petit nez se plissait de plaisir.

— Oh, jolis can'can' !

Elle s'était accroupie pour applaudir tout en poussant de petits cris de joie. Elle était vêtue d'un adorable ensemble composé d'un short blanc et d'un maillot jaune poussin orné d'un cœur avec l'inscription : « J'aime mamie ».

Voyant briller les yeux de Nikki devant ce spectacle, Amanda avait eu un coup au cœur : le regard de sa sœur ne trahissait pas la douleur mais plutôt le plaisir et la gaieté.

— Tu ne trouves pas qu'elle est à croquer ? avait dit Nikki. J'adore regarder les enfants. Ils finissent par vous faire voir le monde par leurs yeux. Je crois que c'est pour cela que j'adore ma classe de maternelle. Viens ! Allons acheter de quoi nourrir les « can'can' ».

Elles avaient passé une bonne heure à nourrir les cygnes, ainsi que des canards colverts qui s'étaient joints à la fête. Le temps d'un éclair, Amanda s'était rappelée du soir où Ian l'avait emmenée au jardin public, et des enfants qui donnaient aussi à manger aux canards. Comme ce serait agréable de vivre de tels moments avec lui et avec leur enfant...

Nikki avait fini par partager avec la fillette et sa mère les aliments qu'elle avait achetés, riant de l'enthousiasme avec lequel la petite jetait des boulettes aux volatiles.

Mais malgré cette séance, Amanda s'était sentie toujours aussi nerveuse au moment de regagner leur chambre. Même la longue route qui l'avait menée jusqu'à Nashville n'avait pas suffi à la préparer à ce qu'elle allait dire.

Elles s'étaient assises chacune sur l'un des lits jumeaux.

— Nikki, j'ai quelque chose à te dire. Quelque chose dont j'aurais dû te parler avant ton départ. Mais j'ai eu peur. Je ne voulais pas te faire de la peine et...

— Tu es enceinte, c'est ça ?

Amanda avait essayé de lire dans le regard de sa sœur. Comment avait-elle pu espérer la tromper ? Incapable de trouver les mots pour exprimer le mélange de culpabilité, de joie et de confusion qu'elle ressentait, elle avait simplement hoché la tête.

— Oh, ma chérie… Je le savais. Tu étais tellement barbouillée… Cela ne ressemblait pas du tout à une grippe… Je le savais.

D'abord, Amanda avait cru que sa sœur allait pleurer.

— Un bébé ! Mon Dieu…

Nikki avait porté ses mains à sa bouche. Un sourire s'était dessiné lentement sur son visage, et des larmes de joie s'étaient mises à couler le long de ses joues. Toute tremblante elle avait ouvert de grands yeux.

— Tu ne peux pas savoir comme je suis heureuse pour toi. Si tu savais…

Elles étaient tombées dans les bras l'une de l'autre. La tête sur l'épaule de sa sœur, Amanda, au bord des larmes, ne savait plus que penser de la réaction de Nikki.

— Tu es sûre que ça va ?

— Amanda, comment as-tu pu croire un seul instant que cette nouvelle allait me faire de la peine ? Que je ne serais pas heureuse pour toi ?

Nikki l'avait prise par les poignets en poursuivant :

— C'est vrai, je ne cesserai jamais de penser à Anna. Mais je vais bien finir par m'en remettre un jour. Oui, j'espère bien m'en remettre suffisamment, un jour, pour apprendre à vivre sans elle. Je veux que toi aussi, tu trouves la force de vivre sans elle. J'ai déjà des enfants, ceux dont je m'occupe à l'école, et cela me suffit. Je t'ai déjà dit d'arrêter de te punir. Cesse de te dire que tu ne mérites pas d'avoir un enfant.

Amanda avait alors laissé couler ses larmes sans retenue.

— J'ai tellement peur, Nikki. Si tu savais…

— Je sais. Mais je suis là. Tout va bien se passer pour ton bébé. Tout ira bien cette fois. Cesse de penser au pire. Pardonne-toi à toi-même. Ce qui est arrivé à Anna était un accident. Un accident horriblement injuste. Mais ce n'était absolument pas de *ta faute*. J'étais sincère en te souhaitant de trouver le bonheur et d'avoir des enfants. Ian est un cadeau de la vie. Ne le laisse pas t'échapper.

Tous ces mots étaient encore présents à l'esprit d'Amanda lorsqu'elle arriva en vue de Knoxville, où elle quitta l'autoroute en direction de Boone's Crossing. Peut-être n'avait-elle pas suivi les conseils de sa sœur la première fois qu'elle lui avait dit d'aller de l'avant et d'être heureuse. Mais cette fois, elle n'y manquerait pas. La vie d'Anna, pour précieuse qu'elle ait été, avait été éphémère. Pourtant, elle n'avait pas servi à rien. Le chagrin causé par sa disparition avait conduit Amanda jusque dans le Tennessee, jusqu'à Ian.

De quel courage Nikki n'avait-elle pas fait preuve en donnant sa bénédiction à sa sœur ! Elle lui avait aussi donné une force nouvelle. Nikki avait trouvé la force de s'évader de la prison de ses sentiments, de vaincre le carcan de sa douleur. Cette prison, Amanda ne la connaissait que trop bien. Que ressentirait-elle si elle s'en évadait, elle aussi ?

Elle avait terriblement souffert après la perte du bébé. Mais plus grand encore avait été le chagrin de voir sa sœur souffrir. Elle l'aimait tant qu'elle avait aussi eu mal pour elle. Elle aurait enduré n'importe quoi pour que sa sœur retrouve sa petite fille et connaisse enfin la joie d'être mère.

Mais ce qu'elle n'avait pas compris, c'était que Nikki, à son tour, avait eu mal pour elle. Mal de voir Amanda s'enfoncer dans le chagrin et la peur.

Amanda avait fini par redouter de vivre la vie qu'elle avait toujours voulue : une vie faite d'espoirs, de rêves de maternité, où elle épouserait un homme qu'elle aime. Elle avait fini par se dire que tout ce qu'elle ferait pour retrouver une vie normale ne ferait que gâcher celle de Nikki.

Mais à présent, elle voyait les choses d'un œil neuf.

En dédramatisant ce terrible accident, en la poussant à vivre sa vie, à trouver le bonheur auprès de Ian et à élever leur enfant dans l'amour et la joie, Nikki lui avait fait le plus précieux des cadeaux : son amour désintéressé et inconditionnel.

Même si des sentiments forts la liaient à sa sœur, elle avait trouvé auprès de Ian l'amour qu'elle cherchait depuis toujours. Mais à présent, plus que tout au monde, Amanda désirait tourner la page et aimer Ian comme il le méritait.

Elle se trouvait quelque part entre Knoxville et Boone's Crossing lorsque de la fumée se mit à s'échapper de son capot. Au même moment, elle remarqua une odeur d'antigel et ralentit en maugréant.

Tout en freinant, elle revit la nuit de l'accident, et son cœur se mit à battre sourdement dans sa poitrine. Des voitures passaient à toute allure sur sa gauche. Elle fut soudain prise de tremblements. Sa gorge se noua et toutes les pensées positives qui l'habitaient quelques instants auparavant s'évanouirent. A l'idée de s'arrêter sur le bas-côté, elle sentit ses mains se glacer et se crisper sur le volant. Elle s'était mise à serrer inconsciemment les dents et ses mâchoires lui faisaient mal.

C'était plus fort qu'elle, elle ne pouvait pas se ranger sur le bas-côté.

Mais un nuage de vapeur montait maintenant du radiateur et, si elle continuait à rouler, le moteur risquait de la lâcher en plein milieu de la route.

Tremblant comme une feuille, elle s'arrêta au bord de la route et consulta son rétroviseur. Pourvu qu'une voiture ne vienne pas la percuter à la sortie du virage. Pourvu qu'un chauffard ivre ne quitte pas soudain la route et que l'histoire ne se répète pas.

— Ça suffit ! se sermonna-t-elle tout haut, le visage trempé de sueur.

Rangeant sa voiture le plus loin possible du bord de la route, tout en prenant garde de ne pas tomber dans le fossé, elle s'arrêta et sortit avec mille précautions du côté du passager. Elle avait beau se dire qu'elle était à distance respectable de la circulation, d'ailleurs peu intense, sa mémoire lui rappelait sans cesse Caitlin Kramer, debout au bord de la route, puis grièvement blessée l'instant d'après.

En tremblant elle ouvrit le capot en priant le ciel de lui donner de la force, et de protéger son enfant.

Ian passa à la boulangerie où il acheta deux gâteaux à la cannelle dégoulinant de sucre. Puis il se rendit à la maison de repos, pour rapporter à pépé son couvre-pieds tout propre. A sa grande surprise, le vieil homme était déjà lavé, habillé et installé dans son fauteuil roulant. La chambre embaumait l'eau de Cologne.

— Tu t'es levé à l'aube, remarqua Ian en déposant la boîte de gâteaux sur la table de chevet. Et comme ça cocotte ici ! Tu vas faire tourner les gâteaux !

— Ça va, ça va. Tu es simplement jaloux de mon succès auprès des dames.

— Là, tu as peut-être raison. C'est d'ailleurs pour cela que je suis venu te voir. J'ai besoin de te parler d'une chose… J'imagine que tu as deviné mes sentiments pour Amanda ? J'ai décidé de l'épouser, pépé.

— Je dois dire que c'est la seule chose à faire, étant donné les circonstances.

— Tu es au courant ?

— Pour le bébé ? Evidemment. Et je suis heureux d'apprendre que tu as l'intention de régulariser la situation.

— Justement, c'est là qu'est le problème. Je pense sans cesse au passé et à mes erreurs. Je sais bien que j'étais très jeune à l'époque, mais cela me pèse toujours sur la conscience.

— Tu n'étais pas plus jeune que je ne l'étais lorsque j'ai posé les yeux sur ta grand-mère.

— Je le sais bien, mais les choses étaient différentes à ton époque. On était censé se marier jeunes et avoir une ribambelle d'enfants. Or, ce n'est pas ce que je voulais avec Jolene. C'est pour cela que j'ai accepté que Gavin soit adopté par des inconnus. Mais maintenant que je le connais… je m'en veux d'avoir agi ainsi.

— Tu aurais préféré épouser Jolene ?

— Non ! Mais j'aurais pu ne pas abandonner mon fils. Depuis que je le découvre, je regrette de ne pas l'avoir élevé.

— Et te voilà sur le point d'avoir un enfant avec Amanda. Tu n'as pas envie d'élever cet enfant ?

— Bien sûr que si. Mais je veux épouser Amanda parce que je l'aime, pas seulement parce qu'elle est enceinte. Et je n'arrête pas de me demander si je lui aurais demandé sa main aussi vite, si elle n'était pas tombée enceinte… Bref, j'ai peur de précipiter les choses uniquement par crainte de perdre un deuxième enfant. J'ai peur de chercher à remplacer

Gavin par ce bébé. Qu'en penses-tu, pépé ? Crois-tu que ce soit le cas ?

— Toi seul peux répondre à cette question, fiston.

Puis, changeant subitement de sujet, Zeb désigna son couvre-pieds.

— Je vois que tu m'as rapporté ma couverture.

Cela ne lui ressemblait pas de détourner ainsi la conversation. Etait-il déçu de voir son petit-fils commettre à l'âge adulte les mêmes erreurs que dans sa jeunesse en mettant une femme enceinte avant de l'avoir épousée ? Peut-être estimait-il que son petit-fils était de ceux qui répètent éternellement les mêmes erreurs.

Cependant, Amanda n'était pas une erreur. Le bébé qu'ils avaient conçu ensemble non plus, et pépé le savait bien. Vexé que son grand-père l'ait éconduit aussi brusquement, Ian déplia la couverture pour lui en recouvrir les jambes.

— Attends un peu, s'il te plaît. Tu sais que c'est ta grand-mère qui a confectionné ce patchwork ?

— Bien sûr.

Il l'avait toujours vu. D'une solidité à toute épreuve, cette couverture avait résisté au temps et aux générations, réchauffant plus d'un bébé dans la famille.

— Et je sais aussi quelle valeur elle a à tes yeux, ajouta-t-il.

— Tu ne crois pas si bien dire. Je l'ai toujours gardée à cause de ce qu'elle représentait pour moi. Mais je crois que l'heure est venue qu'elle représente quelque chose pour toi.

Finalement, peut-être que pépé n'avait jamais changé de sujet depuis le début.

Comme il regardait son grand-père au fond des yeux, ce dernier hocha la tête.

— Voilà bien longtemps qu'un bébé n'a pas été enveloppé dans cette couverture. Vas-y, prends-la, fiston. Je sais que tu aimes Amanda. Donne-la-lui, pour votre petit.

— Tu en es sûr ?

Cette couverture avait une grande valeur sentimentale pour pépé. C'était un des rares souvenirs qui lui restait de sa femme.

— Evidemment que j'en suis sûr. D'ailleurs, je vais bientôt être débarrassé de ce fauteuil roulant. Tout ce qu'il me faudra pour me réchauffer, ce sera les genoux d'une jolie fille !

— Sacré vieux bonhomme ! dit Ian, plus ému qu'il ne voulait le paraître, en repliant la couverture. Tu veux manger un de ces gâteaux avant que je m'en aille ?

— Si cela ne t'ennuie pas, je vais garder le mien pour Lily, répondit pépé avec un clin d'œil malicieux.

Tout en souriant à son grand-père, Ian s'aperçut qu'il savait exactement quoi dire à Amanda maintenant.

— Tiens, garde-les tous les deux, pépé. Il faut que j'aille travailler.

Il allait devoir travailler sans faire une seule pause s'il voulait que le temps ne lui semble pas trop long en attendant le retour d'Amanda.

— Quand vous aurez arrêté une date, tiens-moi au courant.

— Ne t'inquiète pas. Tu seras le premier informé !

Amanda souleva le capot de sa voiture. Il fallait qu'elle garde son calme. Elle pouvait toujours appeler les secours depuis son mobile, mais elle refusait d'écouter la petite voix qui lui conseillait de joindre Ian. Cette épreuve, elle devait l'affronter seule. Si elle voulait surmonter ses peurs, elle devait commencer tout de suite.

Après avoir examiné le radiateur, elle se pencha pour regarder en dessous de la voiture. De l'antigel s'écoulait et formait une mare, mais il ne semblait pas provenir du radiateur lui-même, qui ne présentait aucune fissure apparente. C'est alors qu'elle aperçut le coupable : l'écrou reliant un tuyau au radiateur s'était desserré, laissant fuir le liquide. Amanda poussa un soupir de soulagement. C'était une réparation facile, quelque chose qu'elle pouvait arranger toute seule, une fois que le moteur aurait refroidi un peu.

Laissant le capot ouvert, elle s'éloigna du bas-côté. Un pick-up ralentit et un homme pencha la tête par la fenêtre pour lui proposer de l'aide. Elle refusa avec un sourire poli, en le remerciant malgré tout. Non loin de là se trouvait une petite bâtisse blanche flanquée d'un parking. Une enseigne proclamait : « Ici, achetez les meilleurs beignets ».

Amanda sourit en songeant à Zeb. Elle acheta une douzaine de beignets à son intention.

Peu après, elle regagna sa voiture et, munie d'une clef, repositionna le tuyau avant de resserrer l'écrou en s'assurant qu'il tenait bien. Puis elle remplit le radiateur, referma le capot et, satisfaite, s'essuya les mains avec un sentiment de victoire.

Lorsqu'elle démarra, plus aucune fumée ne s'échappa du capot. Le tableau de bord indiquait une température normale. Elle remercia le ciel pour l'enfant qui grandissait dans le secret de son ventre en se jurant de tout faire pour être une bonne mère.

Après un dernier coup d'œil dans le rétroviseur, elle s'inséra dans la circulation, direction Boone's Crossing.

19.

Pour la première fois depuis des temps immémoriaux, Ian fit une exception réservée aux cas de force majeure : il ferma boutique de bonne heure. Mais n'était-ce pas un cas de force majeure ? Depuis qu'il était sorti de la maison de repos, la couverture sous le bras, il avait attendu impatiemment le moment de rejoindre Amanda. Combien de temps allait-elle rester à Nashville ? N'avait-elle pas promis de le prévenir de son retour ? Il avait essayé de prendre son mal en patience en se concentrant sur son travail. Mais son cerveau en ébullition essayait d'inventer un moyen de la convaincre de venir passer le reste de sa vie avec lui. Comment la persuader qu'il l'aimait, et pas seulement parce qu'elle portait son enfant, alors qu'il était le premier à douter de lui-même ?

Il fallait bien qu'il trouve un moyen de la convaincre.

Il se rendit chez elle en voiture. Si elle n'était pas encore rentrée, il attendrait devant chez elle tout le temps qu'il faudrait. A sa plus grande joie, la voiture d'Amanda était déjà là lorsqu'il arriva. La couverture sous le bras, il se dirigea vers la porte, le cœur battant. Elle lui ouvrit avant même qu'il n'ait frappé.

— Salut. J'allais justement t'appeler.

Ian entra, soudain nerveux. Amanda était adorable. Elle le regardait avec de grands yeux et se comportait comme si elle avait quelque chose à lui dire.

Un peu inquiet, Ian demanda des nouvelles de Nikki.

— Elle va bien. En fait, elle va beaucoup mieux que je ne le croyais.

— Je suis heureux de l'apprendre. Ecoute, Amanda, je…

— Ian, je…

Ils éclatèrent de rire.

— Toi d'abord, dit-il.

Le regard d'Amanda tomba sur la couverture.

— C'est la couverture de Zeb. Pourquoi l'as-tu apportée ?

— Pépé me l'a donnée pour toi. Enfin pour notre enfant. Vas-y, prends-la.

Amanda prit la couverture et la déplia. La saisissant par un coin, Ian l'aida à l'étaler. Avec un murmure admiratif, Amanda contempla le dégradé de couleurs qui en formait le centre.

— Elle est splendide. Je ne m'en étais jamais rendu compte… Je ne l'avais jamais vue dépliée.

— C'est ma grand-mère qui l'a faite. Entièrement à la main, pièce par pièce. Chaque morceau de tissu a été découpé dans un vêtement symbolique. Celui-ci est un morceau de sa robe de mariée. Celui-là vient du costume que pépé portait pour leur mariage.

Il lui décrivit aussi plusieurs morceaux de tissu inclus dans le dessin : un fragment de sa couverture de bébé, un morceau de la robe de bal qu'elle portait le jour où pépé l'avait emmenée à la ville pour leur cinquième anniversaire de mariage.

— C'est très émouvant, murmura Amanda, impressionnée. Es-tu bien certain que Zeb veuille me le donner ?

— Absolument.

— Je suis très touchée. Je ne sais plus quoi dire.

— Avant de mourir, ma grand-mère m'a dit une chose : « Ian, n'oublie jamais que l'amour fait parfois mal. Mais c'est une souffrance qui en vaut la peine. Voilà pourquoi les femmes continuent d'enfanter, même si elles passent un sale moment pour mettre les enfants au monde… » Elle prétendait qu'il fallait parfois savoir passer un sale moment pour atteindre le bonheur. Et je crois qu'elle avait raison.

C'est alors seulement qu'il remarqua le berceau. Amanda l'avait placé dans un coin de la cuisine, et la lumière extérieure l'inondait de soleil.

— Quand l'as-tu transporté ici ?

— Il n'y a pas très longtemps. Tout à l'heure, en rentrant. Il fallait que je le fasse avant de t'appeler.

Le cœur battant, sûr qu'il s'agissait d'un bon signe, Ian alla poser la couverture dans le berceau.

— Viens, dit-il en prenant Amanda dans ses bras.

Un reste de doute le traversa, l'espace d'un instant, mais il le chassa. Car depuis qu'il serrait Amanda contre lui, il savait qu'il n'y avait aucune erreur sur ses sentiments : il l'aimait et voulait qu'elle devienne sa femme.

— Je n'arrive pas encore à croire que tu portes un enfant de moi. Notre enfant. C'est un tel miracle. C'est tout ce dont je rêvais. Tout à l'heure, en venant te voir, je me suis posé une question : ne suis-je pas tombé amoureux de toi un peu trop vite, en partie à cause de ce bébé ? J'ai eu peur de chercher simplement à remplacer Gavin en élevant ce bébé avec toi.

— Et quelle a été ta conclusion ?

Amanda semblait s'être crispée entre ses bras. Mais elle se détendit aussitôt et le regarda comme si elle ne doutait pas le moins du monde des sentiments qu'il éprouvait pour elle, ni de ceux qu'elle éprouvait pour lui.

— C'est faux. Je suis tombé amoureux de toi dès que je t'ai vue. Amanda, je t'aime et j'aime cet enfant. Tu as vécu des choses horribles, mais l'heure est venue pour toi de connaître le bonheur à ton tour. Veux-tu m'épouser ?

Le cœur battant, Ian retint son souffle. Qu'avait-elle pu dire à sa sœur ? Et s'il était trop tard ? Si elle avait d'ores et déjà prévu de retourner dans le Colorado ?

Amanda le dévisagea d'un air grave.

— Avant de répondre à ta question, je dois t'avouer quelque chose. Moi aussi j'ai eu des doutes. Tu as dû t'en apercevoir. J'étais en train de tomber amoureuse de toi malgré moi. Je ne me croyais pas capable d'assumer une nouvelle grossesse et, sachant combien les enfants comptaient pour toi, j'ai cru bien faire en te repoussant. Puis je suis tombée enceinte et le chaos s'est installé dans mes pensées. Je ne voulais pas te faire souffrir, je ne voulais pas faire souffrir ma sœur. Finalement, je lui ai parlé du bébé.

— Et qu'a-t-elle dit ? demanda Ian, plein d'appréhension.

— Elle m'a dit d'être heureuse. Elle m'avait déjà conseillé d'arrêter de me punir moi-même, et je crois que c'est ce que je faisais, effectivement. Une partie de moi-même estimait que j'étais responsable du chagrin de Nikki, et donc que je ne méritais pas d'être heureuse, puisqu'elle ne l'était pas.

— Je ne t'ai jamais dit que tu étais trop dure avec toi-même ?

— Si, mais je ne voulais pas l'admettre. Seulement, après avoir tout dit à Nikki, j'ai compris que ressasser la mort d'Anna et refuser de profiter de la vie ne rendaient service à personne. C'est Nikki qui m'a aidée à le comprendre. Elle m'a conseillé de venir te voir et de te dire le fond de mes pensées.

— Et peut-on connaître le fond de tes pensées ?

— Tu dois bien l'avoir deviné, maintenant.

— Peut-être… Mais je veux l'entendre de ta propre bouche.

— Je t'aime, Ian. Plus que tu ne peux te l'imaginer.

— Je crois que j'en ai tout de même une petite idée, dit-il en l'embrassant.

Puis, la serrant contre lui :

— Tu m'as fait une de ces peurs ! J'ai cru que tu allais retourner dans le Colorado.

— Je me demande bien ce que j'irais faire là-bas, étant donné que j'ai tout ce qu'il me faut ici, dans le Tennessee.

— Tu le penses vraiment ?

— Vraiment.

— Voilà qui me va droit au cœur. Mademoiselle Amanda Kelly, voulez-vous m'épouser ?

— Voilà une question qui me va droit au cœur.

— Dois-je comprendre que la réponse est « oui ».

— Oui, mille fois oui !

Les sabots de Banjo claquaient avec un bruit net sur la route. Ian venait de quitter l'église et conduisait le buggy vers le parc, où allait se tenir la réception. Le véhicule et la mule, décorés de rubans bleus et blancs, traînaient une ribambelle de boîtes en fer-blanc ainsi qu'une pancarte « Jeunes mariés ». Néanmoins, la mule semblait indifférente au tintamarre qui la suivait.

Sur le siège, radieuse, Amanda enlaça Ian et posa la tête sur son épaule. Ils avaient choisi une cérémonie traditionnelle, respectant même la coutume des quatre choses qu'une mariée est censée porter sur elle. Une chose neuve : cette chose-là grandissait en elle. Une chose bleue : réservée exclusivement à son mari, elle la portait sous sa robe. Quant à la chose ancienne et à la chose prêtée, c'était Sami Jo qui en avait eu l'idée. Gavin, quoiqu'un peu surpris, lui avait remis bien volontiers la bague et la chaîne, qu'elle portait sous sa robe. Après tout, n'était-ce pas ces objets qui avaient réuni le père et le fils ? Gavin avait maintenant deux familles qui l'aimaient tout autant. Amanda se réjouissait que le fils de Ian fasse partie intégrante de leur vie future.

Ainsi que Ian l'avait un jour rêvé, Gavin jouait le rôle de garçon d'honneur et Nikki était venue en avion pour être la première demoiselle d'honneur, accompagnée de Sami Jo et de Patricia Stoakes. Cette dernière avait en outre confectionné toutes les robes, y compris celle de la mariée, tout en dentelle et satin blanc, avec une jupe ample pour dissimuler son ventre rond, et une longue traîne qu'elles avaient dû se mettre à trois pour hisser dans le buggy.

Quant à Bridget, elle n'avait pas pu venir. Mais Amanda refusait de se laisser contrarier par ce contretemps. Rien ne pouvait gâcher cette merveilleuse journée.

— Je vous trouve bien silencieuse, madame Bonner.

L'accent chantant de Ian la tira de sa rêverie et elle plongea dans son chaud regard brun brillant d'amour. Il était vraiment irrésistible dans son smoking façon western.

— C'est parce que je savoure ce moment, monsieur Bonner. Je veux m'en souvenir toute ma vie.

— Moi, je ne t'oublierai jamais telle que tu es aujourd'hui. Même lorsque je serai vieux, avec des cheveux blancs, et que pépé sera obligé de me pousser dans un fauteuil roulant !

Ils se mirent à rire à cette image et s'embrassèrent longuement. Banjo en profita pour quitter la route, cédant à la tentation d'un champ de foin fraîchement coupé.

— Tu ferais mieux de regarder la route, dit Amanda.

Elle désigna une file de véhicules qui roulait au ralenti derrière eux.

— Sinon, nos invités vont croire que tu es ivre, et le shérif risque de t'arrêter.

— Mais je suis ivre ! Ivre d'amour !

— Si ce n'est que ça, je connais le remède...

Amanda lui prit les rênes des mains et laissa Banjo aller où bon lui semblait. Avec un peu de chance, le propriétaire du champ ne dirait rien.

Les coups de Klaxon et les cris s'évanouirent peu à peu tandis que les invités s'éloignaient vers le parc.

Mais Amanda les entendit à peine. Elle était bien trop occupée à embrasser l'homme avec lequel elle avait juré de partager toute sa vie.

Épilogue

Amanda reposait contre les oreillers de son lit d'hôpital, sa petite fille dans les bras. La chambre avait été décorée de trèfles, de ballons roses et verts. Car Faith Nicole Bonner, qui pesait 3,6 kilos, avait fait son entrée dans le monde à 6 heures du matin le jour de la Saint-Patrick et du quatre-vingt-huitième anniversaire de Zeb.

Assis au bord du lit, Ian regardait, fasciné, sa toute petite fille. Un miracle miniature. Il en croyait à peine ses yeux.

Zeb, installé dans un fauteuil près de son déambulateur, avait revêtu un jean neuf, une chemise qu'il avait reçue pour son anniversaire et un chapeau de cotillon. Près de lui, sur une table roulante on avait placé la pièce montée au chocolat.

— Vas-y, allume les bougies, dit-il à Sami Jo. Nous avons plusieurs choses à célébrer aujourd'hui.

Sami Jo alluma les bougies, deux en forme de huit et une troisième en forme d'ourson. Une fois la porte fermée, tout le monde entonna un tonitruant « Joyeux anniversaire » pour Zeb et Faith.

Lorsque tout le monde eut terminé de chanter faux de tout son cœur, Amanda désigna les bougies en riant.

— Vous allez être obligé de payer de votre personne, Zeb. Car je crains que Faith ne soit un peu petite pour souffler les bougies.

— Tu vas voir, dans un an, déclara fièrement Ian en s'adressant à sa fille. N'est-ce pas que tu en seras capable l'an prochain, ma poupée ?

Faith lui répondit en bâillant de bon cœur, ce qui fit rire tout le monde. Ian alla embrasser son grand-père, qui glissa en aparté à Amanda :

— Surtout ne dites à personne qu'il y a du rhum dans ce gâteau !

— Promis ! Bon anniversaire, Zeb.

Sami Jo leva son verre de punch.

— Oyez, oyez ! A la santé de Zeb et de Faith !

Comme on frappait à la porte, elle alla ouvrir.

Quelle ne fut pas la surprise d'Amanda en découvrant sa mère. Celle-ci, vêtue d'un jean, d'une paire de boots et d'une chemise western avait beaucoup plus de cheveux gris que dans son souvenir.

— S'agit-il d'une réception privée, ou peut-on se joindre à vous ? demanda Bridget, souriante.

Puis, apercevant sa fille et sa petite-fille, ses yeux se remplirent de larmes.

— Je n'arrive pas à croire que tu sois venue, murmura Amanda tout aussi émue.

— Moi non plus, ma chérie. Je crois que j'ai beaucoup de retard à rattraper.

— Nous ne sommes plus à une personne près dans la famille, déclara Zeb. Sami Jo, coupe-moi ce gâteau !

Comme Bridget prenait l'enfant dans ses bras avec des gestes de grand-mère fière, il ajouta :

— Quelle beauté, pas vrai ? Je souhaite que ce ne soit que la première d'une longue série !

278

Ian passa un bras autour d'Amanda.

— Nous ferons de notre mieux, pépé.

— Voilà qui ne devrait pas être au-dessus de nos forces, ajouta Amanda, les yeux brillants.

Chère lectrice,

Vous nous êtes fidèle depuis longtemps?
Vous venez de faire notre connaissance?

C'est pour votre plaisir que nous avons
imaginé un rendez-vous chaque mois
avec vos auteurs préférés, vos
AUTEURS VEDETTE dans les
collections Azur et Horizon.

Les AUTEURS VEDETTE vous
donneront rendez-vous pour de
nouveaux livres vedette.

Pour les reconnaître, cherchez
l'étoile ... Elle vous guidera!

Éditions Harlequin

HARLEQUIN

LE FORUM DES LECTEURS ET LECTRICES

CHERS(ES) LECTEURS ET LECTRICES,

VOUS NOUS ETES FIDÈLES DEPUIS LONGTEMPS?

VOUS VENEZ DE FAIRE NOTRE CONNAISSANCE?

SI VOUS AVEZ DES COMMENTAIRES, DES CRITIQUES À
FORMULER, DES SUGGESTIONS À OFFRIR, N'HÉSITEZ
PAS… ÉCRIVEZ-NOUS À:
      LES ENTERPRISES HARLEQUIN LTÉE.
      498 RUE ODILE
      FABREVILLE, LAVAL, QUÉBEC.
      H7R 5X1

C'EST AVEC VOS PRÉCIEUX COMMENTAIRES QUE NOUS
ALLONS POUVOIR MIEUX VOUS SERVIR.

DE PLUS, SI VOUS DÉSIREZ RECEVOIR UNE OU
PLUSIEURS DE VOS SÉRIES HARLEQUIN PRÉFÉRÉE(S)
À VOTRE DOMICILE, NE TARDEZ PAS À CONTACTER LE
SERVICE D'ABONNEMENT; EN APPELANT AU
(514) 875-4444 (RÉGION DE MONTRÉAL) OU 1-800-667-4444
(EXTÉRIEUR DE MONTRÉAL) OU TÉLÉCOPIEUR
(514) 523-4444 OU COURRIER ELECTRONIQUE:
AQCOURRIER@ABONNEMENT.QC.CA OU EN ÉCRIVANT À:
      ABONNEMENT QUÉBEC
      525 RUE LOUIS-PASTEUR
      BOUCHERVILLE, QUÉBEC
      J4B 8E7

MERCI, À L'AVANCE, DE VOTRE COOPÉRATION.

BONNE LECTURE.

HARLEQUIN.

VOTRE PASSEPORT POUR LE MONDE DE L'AMOUR.

COLLECTION HORIZON

Des histoires d'amour romantiques qui vous mènent au bout du monde!

Découvrez la passion et les vives émotions qu'apportent à la Collection Horizon des auteurs de renommée internationale!

Captivantes, voire irrésistibles, ces histoires d'amour vous iront assurément droit au coeur.

Surveillez nos trois nouveaux titres chaque mois!

HARLEQUIN

Lisez Rouge Passion pour rencontrer L'HOMME DU MOIS!

Chaque mois, vous rencontrerez un homme **très sexy** dans la série Rouge Passion.

On peut distinguer les livres L'HOMME DU MOIS parce qu'il y a un très bel homme sur la couverture! Et dedans, vous trouverez des histoires écrites selon le point de vue de l'homme et de la femme.

Les livres L'HOMME DU MOIS sont écrits par les plus célèbres auteurs de Harlequin!

Laissez-vous tenter avec L'HOMME DU MOIS par une histoire d'amour sensuelle et provocante. Une histoire chaque mois disponible en août là où les romans Harlequin sont en vente!

69 **L'ASTROLOGIE EN DIRECT**
TOUT AU LONG
DE L'ANNÉE.

(France métropolitaine uniquement)
Par téléphone 08.92.68.41.01
0,34 € la minute (Serveur SCESI).

Composé et édité par les
*éditions*Harlequin
Achevé d'imprimer en juillet 2005

BUSSIÈRE
GROUPE CPI

à Saint-Amand-Montrond (Cher)
Dépôt légal : août 2005
N° d'imprimeur : 51713 — N° d'éditeur : 11458

Imprimé en France